A vida
na visão do espiritismo

Alexandre Caldini Neto

A vida na visão do espiritismo

SEXTANTE

Copyright © 2017 por Alexandre Caldini Neto

Todos os direitos reservados. Nenhuma parte deste livro pode ser utilizada ou reproduzida sob quaisquer meios existentes sem autorização por escrito dos editores.

preparo de originais: Melissa Lopes Leite
revisão: Luis Américo Costa e Sheila Louzada
revisão técnica: Orlando Ayrton de Toledo
projeto gráfico: Ana Paula Daudt Brandão
diagramação: DTPhoenix Editorial
capa: DuatDesign
imagens de capa: Shutterstock: Jannoon028 (frente) e Jalalad Dawan (quarta capa)
impressão e acabamento: Bartira Gráfica

CIP-BRASIL. CATALOGAÇÃO NA PUBLICAÇÃO
SINDICATO NACIONAL DOS EDITORES DE LIVROS, RJ

C152v	Caldini Neto, Alexandre
	A vida na visão do espiritismo/ Alexandre Caldini Neto. Rio de Janeiro: Sextante, 2017.
	256 p.; 14 x 21 cm.
	Inclui bibliografia
	ISBN 978-85-431-0560-4
	1. Espiritismo. 2. Vida espiritual. I. Título.

CDD: 133.9

17-44897

CDU: 133.9

Todos os direitos reservados, no Brasil, por
GMT Editores Ltda.
Rua Voluntários da Pátria, 45 – 14.º andar – Botafogo
22270-000 – Rio de Janeiro – RJ
Tel.: (21) 2538-4100
E-mail: atendimento@sextante.com.br
www.sextante.com.br

Sumário

Apresentação   11
Sobre o espiritismo   13

PARTE 1   A VIDA ANTES DA VIDA   27
O início da vida   28
As reencarnações   29
Por que encarnamos?   30
O processo da reencarnação   31
Planejando a volta   33
Preparando-se para a volta   34
Chegadas e partidas   35
Provas e expiações   36
Nasce um bebê   37
Por que esquecemos quem fomos?   38
Simples e ignorantes   40
Gêmeos idênticos, espíritos diferentes   42
Deficiências   43

PARTE 2   A VIDA EM FAMÍLIA   47
Família   48
Família espiritual   49
Adoção   51
Homem e mulher   52
Homossexualidade   53
Divórcio   54

PARTE 3 COMPREENDER ... 57
As leis morais ... 58
Ação e reação ... 58
Destino ... 60
Sofrer é bom? ... 61
Espíritos obsessores ... 63
Médiuns enganadores ... 64
Evolução dos mundos ... 66
Religião ... 69

PARTE 4 ERRANDO ... 71
Medo ... 72
Maledicência ... 73
Preguiça ... 75
Hedonismo ... 76
Carpe diem ... 77
Excessos ... 79
Arrogância ... 80
Humilhação ... 81
Autoridade ou autoritarismo? ... 83
Diferenças e preconceitos ... 84
Ofensa ... 85
Temperamento forte ... 87
Dor ... 88
Morte e sofrimento ... 89
Omissão ... 93
Inveja ... 96
Cinismo e pessimismo ... 97
Talentos usados para o mal ... 98
Pelo amor ou pela dor ... 100

Julgamentos	101
Ambição × ganância	105
Necessário × supérfluo	107
Tentação	108
Paixão	109
Posse e acúmulo	110
Dinheiro	112
O valor das coisas	114
Distrações	115

PARTE 5 ACERTANDO	121
Coragem	122
Fé	123
Responsabilidade	124
Disciplina	126
Trabalho	127
Sinceridade	129
Elogio	131
Prestando auxílio	132
Interferir no destino do outro?	134
Amar os inimigos	135
Compreensão	137
O pedido de desculpas	138
Gentileza não é fraqueza	140
Além da obrigação	141
Altruísmo	142
Confiança	144
Simplicidade	145
Felicidade	147
Coerência	149

Pelo exemplo	150
Os problemas não acabam	152
Por que uns são mais felizes que outros?	153

PARTE 6 PENSAR, FALAR E AGIR	157
O poder da influência	158
A personalidade	159
Influência espiritual	161
Pensamentos, palavras, atos e omissões	163
Cuidando de nosso pensar	165
O que sai de nossa boca	166
O modo de falar	168
Silenciar a mente	169
O silêncio omisso	170
Autoengano	172
Conhece-te a ti mesmo	173
Evolução humana	175
Mudando o mundo interior	178
Observar, raciocinar, aprender, aplicar	179
Reconstruindo uma relação abalada	181

PARTE 7 CUIDAR-SE	183
Saúde do corpo	184
Saúde mental	185
Saúde espiritual	187
Álcool, fumo e outras drogas	188
Depressão	189
Comer com moderação	195
Alimentar-se de animais	197
Sono e sonhos	198

Beleza	200
Organização	202
PARTE 8 PERDOAR	203
O perdão	204
Perdoar é de nosso interesse	205
O perdão e a obsessão	207
"Deus me perdoe!"	209
A reparação	211
Quem não se ofende não precisa perdoar	212
Aceite ou azeite	213
PARTE 9 ELEVAR-SE	215
O bem	216
Propagando o bem	217
Nossos atos falam por nós	218
Ver com bons olhos	219
A porta estreita	220
A prece	221
Prece aliada a ação	223
A meditação	224
Ser alguém na vida	225
Ser bom	226
O homem de bem	230
Amor-próprio	233
Amar um desconhecido	235
A regra de ouro	237
Promover a paz	238
Paz no caos e caos na paz	241
O perfume da paz	242

Propósito	243
9 passos para o autoaperfeiçoamento	245
Conclusão	254
Agradecimentos	255
Referências bibliográficas	256

Apresentação

Lá se vão quase 30 anos estudando o espiritismo. Nesse período, no centro espírita que frequento na cidade de São Paulo, fiz cursos e, juntamente com colegas, estudei muitos livros. Tive também a oportunidade de trabalhar como doutrinador, psicógrafo e palestrante.

A cada curso que eu fazia, a cada aula que dava, a cada palestra que proferia, mais me encantava com a lógica que permeia toda a filosofia espírita. Observei, me surpreendi e aprendi muita coisa. Mas, como disse Sócrates, quanto mais eu estudava, mais percebia a extensão de minha ignorância.

O espiritismo fascina porque aborda os principais questionamentos do homem, ou seja, os grandes e pequenos dilemas da vida. Temas filosóficos que nos tocam o coração e exigem de nossa inteligência. Ou, por vezes, que tocam nossa inteligência e exigem de nosso coração.

No espiritismo, tudo que se lê tem aplicação prática e imediata. Não há perda de tempo nem nada de inútil, muito pelo contrário. Algumas pessoas se frustram pois o espiritismo não resolve os problemas por nós; em vez disso, oferece uma metodologia para que nós mesmos os resolvamos.

Ainda que baseado nos ensinamentos de Cristo, que viveu há dois milênios, o espiritismo foi estruturado apenas cerca de 150 anos atrás. Portanto, é novo, atual e universal, e talvez por isso mesmo converse tão bem conosco.

Este livro surgiu para tentar capturar e traduzir em linguagem corriqueira um pouco do mundo em que vivemos a partir do olhar do espiritismo. Nasceu na esteira do sucesso de meu livro anterior, *A morte na visão do espiritismo*. Se nele abordávamos como compreender a morte, tanto a nossa quanto a dos entes queridos, aqui abordaremos a vida, tanto a nossa quanto a nossa relação com a vida dos que amamos – ou mesmo a dos que não amamos.

Busquei nas obras básicas de Allan Kardec as respostas a temas que nos dizem respeito no dia a dia. Temas que podem nos trazer serenidade e felicidade, ou até alguma inquietação, dependendo do momento pelo qual estejamos passando. Cito ainda outros pensadores, gente que, espírita ou não, é bastante espiritualizada; gente que pensa o homem e sua vida.

A próxima seção do livro traz uma breve conceituação de alguns temas básicos da filosofia espírita. Serve para contextualizar o assunto. Se preferir, você pode começar diretamente pela Parte 1 – A vida antes da vida.

Minha expectativa é de que este livro atue como água fresca no rosto de um motorista que luta contra o sono. Que nos ajude a espantar a sonolência, a abrir um pouco mais os olhos e, atentos, retomar o controle de nossa vida. Água fria no rosto quente provoca um pequeno desconforto, mas esse incômodo, ao nos alertar, pode evitar que, por descuido, nos acidentemos gravemente.

ALEXANDRE CALDINI
São Paulo, novembro de 2017

Sobre o espiritismo

O espiritismo é uma filosofia nova. Surgiu em meados do século XIX, a partir de estudos do educador francês Hippolyte Léon Denizard Rivail, que se tornaria conhecido pelo pseudônimo Allan Kardec.

Na verdade, ali surgia o espiritismo como o conhecemos hoje, estruturado e racional, mas as práticas e os fenômenos espíritas sempre existiram.

A comunicação entre encarnados e desencarnados, os fenômenos comprobatórios da reencarnação, a obsessão, a psicofonia, a materialização e outros fenômenos mediúnicos estão presentes em nossa vida desde sempre, em vários registros da história da humanidade. O grande mérito de Kardec e seus companheiros foi estudar os fenômenos espíritas, classificá-los e explicá-los à luz do que lhes esclareciam diversos espíritos consultados.

Desde então, em pouco mais de apenas 150 anos, o espiritismo se expandiu bastante, sobretudo no Brasil. O censo do IBGE o aponta como a terceira maior religião no país e aquela com adeptos de maior grau de educação formal. É que não há espiritismo sem estudo, sem leitura. A chave de nossa evolução, prega o espiritismo, é o combate à nossa ignorância.

Espiritismo é religião?

Allan Kardec afirmou que o espiritismo é uma ciência de observação e uma doutrina filosófica. É ciência quando analisa as relações entre os seres encarnados e o mundo espiritual, e é filosofia quando debate as consequências morais dessas relações. Kardec afirmou também que o espiritismo pode ser compreendido como religião em seu sentido filosófico, ou seja, quando aproxima o homem do bem e de Deus. Mas, se pensarmos nas características materiais das religiões, veremos que o espiritismo está longe de ser uma religião.

No espiritismo, diferentemente das religiões, não há hierarquia de cargos nem uma autoridade máxima. Tampouco há profissionais remunerados que retirem seu sustento da lida espírita. Espíritas não usam roupas específicas. Não há símbolos ou logotipos que identifiquem o espiritismo. Não há ritos, pois no espiritismo não há cerimônias de casamento, batismo, extrema-unção ou por alguém que morreu. Ainda que muitos espíritas recitem a bela oração de Cáritas, não há no espiritismo uma oração específica, tampouco horário ou local específico para se rezar.

Considerar ou não o espiritismo uma religião é irrelevante; o que importa, sempre, é evoluir. Se o espiritismo servir para isso, já cumpriu muito bem seu papel na sociedade.

O espírita é cristão?

Há também uma discussão recorrente sobre serem ou não os espíritas cristãos. Os que afirmam que os espíritas não são cristãos se baseiam, talvez, no fato de os espíritas entenderem Cristo não como Deus, mas como um espírito perfeito. No entanto, a vida, os exemplos e os ensinamentos de Jesus Cristo são a espinha dorsal de toda a literatura espírita. Ele é visto pelos espíritas como um modelo a ser seguido, um espírito evoluidíssimo, responsável pela Terra e, como tal, absolutamente digno de respeito, reverência e estudo.

Uma filosofia sobretudo atual

Uma das características mais interessantes do espiritismo é o fato de não ser uma filosofia hermética, cristalizada e absoluta. Preservamos sempre a base do estudo, que é a codificação presente nos livros de Allan Kardec, mas, ao mesmo tempo, nos centros espíritas, tratamos dos dilemas do homem do nosso tempo. Ali discutimos, à luz do espiritismo, as grandes e as pequenas questões que nos afligem hoje. Falamos também sobre as belas oportunidades que se nos apresentam no dia a dia e que frequentemente nos passam despercebidas: a melhoria de nossos padrões morais, a prática do bem, o perdão, a fraternidade e a caridade. São debatidos, por exemplo, assuntos corriqueiros como questões familiares, relacionamentos de trabalho, dependência química, violência. O curioso é que, quando mergulhamos fundo nessas nossas angústias do dia a dia, surgem aspectos que são os mesmos desde os tempos de Cristo (na verdade, até mesmo desde antes dele): amor, ódio, ignorância, inveja, ciúme, progresso, poder, ego, justiça, caridade. Como demoramos a aprender!

Reparação sim, penitência não

Não há no espiritismo a penitência, ou seja, não há o que fazer para reparar um erro, exceto a reparação do erro em si. De nada adianta declamar inúmeras vezes uma reza decorada ou sofrer determinada penitência para que Deus perdoe algo de mau que tenhamos feito. O que vale é reparar o que fizemos de errado e não cometer aquele mesmo erro novamente.

Errar faz parte de nossa caminhada rumo à evolução. Mas a correção de nossos erros, essa, sim, é a essência e a prova de nossa evolução.

E como se corrige um erro? Voltando atrás: vencendo o ego e reconhecendo que erramos, pedindo desculpas, perdoando, fazendo um esforço para amar ou ao menos não odiar, buscando compreender quem pensa e age diferente do que julgamos correto. Se as circunstâncias não permitirem que retomemos a relação com a pessoa que prejudicamos, distribuamos paz, amizade, carinho, conforto e amor a todos, a todo momento.

Batismo e outros ritos

No espiritismo não há cerimônia de casamento, batizado, crisma, confissão, extrema-unção ou para quem morreu. Não há ritos, pois entendemos que nada disso é necessário para garantir coisa alguma que desejemos obter. Quem renasceu – um espírito criado por Deus – não precisa de cerimônia para ser, por exemplo, apresentado a Deus.

Seria estranho imaginar que Deus – a inteligência suprema e causa primária de todas as coisas – é tão parcial e mesquinho a ponto de aceitar e abençoar apenas aqueles que passaram por uma cerimônia como o batismo, a confissão ou mesmo a extrema-unção. Não faz sentido, e Deus é todo ele justiça, correção e lógica.

Promessas

O espiritismo não acredita em graças e favores especiais concedidos por Deus a alguns de sua predileção. Deus não é um homem, imperfeito e injusto, que concederia favores a apenas alguns eleitos por simples capricho. Sendo perfeito, Deus não se impressiona com bajulação, conversa ou negociações como as promessas. Não há como nem por que barganhar com Deus. Pois Deus, repito, é definido no espiritismo como "a inteligência suprema, causa primária de todas as coisas". Ora, Deus, tão grandioso, justo, bom, supremo, correto e sábio, não vai se importar com uma negociação mesquinha, que é o que acontece nas promessas.

Pense: você acha que Deus iria se impressionar com algo tão pequeno quanto "Se eu passar no vestibular, ficarei seis meses sem comer chocolates!"? Claro que não! Ou mesmo em casos mais graves, como "Se meu filho se curar dessa doença, eu subo tal escada de joelhos!"? Será mesmo que Deus quer que danifiquemos nosso corpo, algo que nos foi emprestado (pois devolveremos) para nossa experiência na Terra? Seguramente não. E olhe que tem gente que ainda hoje acredita que machucando seu corpo (com coroa de espinhos, cilício, autoflagelação) chamará a atenção de Deus e conquistará uma graça. Não. Deus, puro amor, não há de querer que soframos à toa. Deus é infinitamente superior a qualquer barganha.

Graças

Se Deus não nos concede uma graça por meio de promessas, como obtê-la, então? Como conquistar algum desejo ou satisfazer uma necessidade?

O espiritismo, todo lógica, nos ensina que conquistamos uma vida equilibrada, saudável e feliz pelo autoaperfeiçoamento. O único jeito de vivermos bem, em graça, é pela melhoria do nosso modo de ser, pela prática do bem. Agindo assim, nossa vida naturalmente melhorará e nos sentiremos abençoados por Deus.

Oferendas

Muita gente confunde espiritismo com espiritualismo. Espiritismo é a ciência e filosofia organizada por Allan Kardec, na França, em meados do século XIX. Espiritualismo são todas as crenças, filosofias e religiões que vão além do materialismo. No Brasil, comumente se intitulam espiritualistas aqueles que têm simpatia por alguma corrente de pensamento místico.

Em vários aspectos, o espiritismo difere do espiritualismo. Um desses aspectos é a necessidade de oferenda para os mortos. No espiritismo, diferentemente de religiões asiáticas e africanas, não há oferta de bens materiais aos mortos. É comum se ver nas casas da Tailândia, por exemplo, lindos pequenos templos em que se oferece comida para os antepassados mortos. Aqui no Brasil, algo similar acontece. Comida, bebidas e objetos também são dedicados a espíritos, em cachoeiras, matas e encruzilhadas. São homenagens a determinados espíritos, feitas na esperança de obter deles alguma graça. Essa tradição existe em algumas das religiões afrobrasileiras. Há ainda casos de sacrifícios de animais. E, infelizmente, ainda hoje, volta e meia se ouvem notícias sobre o bárbaro assassinato de seres humanos em rituais macabros.

Nada disso acontece no espiritismo. Nem vela os adeptos do espiritismo acendem para conquistar algo ou celebrar a memória de alguém. A única coisa que no espiritismo se oferece àqueles que morreram são nossos bons pensamentos e nossas preces para que eles se adaptem rapidamente à nova condição de vida.

Santos e anjos

Nos principais livros de Allan Kardec encontramos menções a alguns santos: Santo Agostinho, São Luís e São Paulo, por exemplo. Esses espíritos desencarnados já bastante esclarecidos oferecem conselhos e elucidações, e o espiritismo reconhece que seu belo raciocínio contribui para o progresso da humanidade. Mas no espiritismo inexiste a figura de santo. Os que algumas religiões chamam de anjos são os espíritos que já deixaram a condição humana. Não mais encarnam entre nós porque não precisam, pois evoluíram a ponto de se aproximarem da perfeição moral.

Anjo da guarda

O que comumente se chama de anjo da guarda, o espiritismo chama de espírito protetor. Ele é mais evoluído que nós, a quem supervisiona, mas não é um anjo. É um bom espírito que nos acompanha desde antes de nosso nascimento nesta encarnação até depois de nosso desencarne. Por vezes, nos acompanha por mais de uma encarnação, inclusive. Sua missão é nos orientar durante nosso estágio no corpo físico. Esse espírito se esforça por se fazer ouvir por meio de nossa intuição, sempre nos inspirando o bem. Podemos, por meio de nossas preces e pensamentos, pedir que ele nos ajude, e ele nos auxiliará por meio da nossa intuição. Estejamos atentos e confiemos nela.

Profissionais

No espiritismo não há carreira, não há profissionais. Não há uma autoridade máxima. Todos os que militam no espiritismo são voluntários, não ganham dinheiro com o espiritismo; eles tiram seu sustento de alguma outra atividade e dedicam parte de seu tempo ao estudo, à caridade e à lida espírita. A única exceção são alguns profissionais que podem ser contratados por centros espíritas de grande porte para administrar e manter a casa, como zeladores e faxineiros.

No meio espírita, considera-se inadequado o uso da mediunidade para enriquecimento. Há quem psicografe romances espíritas e se apodere dos direitos autorais do espírito que ditou aquela história, ou quem use sua mediunidade para vender conselhos – os adivinhos. Isso não é espiritismo.

Charlatães

O fato de não haver quem ganhe dinheiro com o espiritismo já oferece uma boa forma de identificar charlatães. Espíritas nada cobram. Não fazem adivinhações, não leem cartas, búzios, mãos ou borra de café. Não fazem consultas espirituais em troca de dinheiro, não predizem o futuro nem informam quem fomos em vidas passadas, não fazem os chamados "trabalhos de amarração" de amores, não resolvem a vida profissional, afetiva ou mesmo a saúde de ninguém por dinheiro. Então, quando vir cartazes sujando os postes de sua cidade prometendo amarração de amor, sucesso profissional ou a solução de quaisquer outros problemas, desconfie. Isso não é espiritismo; é oportunismo e charlatanismo.

Dízimo

Dá para comprar sossego, paz de espírito, felicidade? Não dá. O dinheiro compra muita coisa, é necessário em nossa caminhada na Terra, mas a satisfação interior, a sensação de paz e a tranquilidade dos justos, isso não se compra; conquista-se. Então, entende o espiritismo que não é com dinheiro que compraremos a paz que buscamos. Não se compra Deus. Só se conquista a paz de espírito trabalhando para isso.

O espiritismo não cobra dízimo nem vende imagens ou amuletos bentos. E como os centros espíritas se mantêm? Graças a trabalho voluntário e doações. Como não têm que arcar com os custos de profissionais trabalhando pelo espiritismo, os encargos de manutenção dos centros são baixos. As despesas em geral se resumem a aluguel, faxina, água, luz e impostos. Vários centros espíritas nem aluguel pagam, pois funcionam no imóvel de algum benfeitor. Não há pagamento de quaisquer taxas para a frequência e o atendimento nas casas espíritas. Não há troca de dinheiro por benefício. Se você for a algum lugar que se diga espírita e lhe cobrarem algo, dê meia-volta!

Fenômenos

No espiritismo, o aspecto místico – a materialização, a transfiguração, a comunicação mediúnica –, ainda que seja curioso, é o que há de menos importante. Esses fenômenos ainda exercem grande fascínio sobre nós, mas não deveria mais ser assim. Aos poucos, conforme a humanidade avançar, deixaremos de lado os fenômenos para nos dedicarmos ao que mais interessa: a reforma íntima, nosso aperfeiçoamento moral. O desenvolvimento de cada um de nós é o mais fantástico e mais importante fenômeno que se deve buscar com o estudo do espiritismo.

Obsessão

Obsessão é uma pendência entre duas ou mais pessoas. Pode ser, por exemplo, consequência de uma briga grave que tenha ficado mal resolvida: uma das partes, sentindo-se injustiçada ou humilhada e estando magoada, deseja vingança e age contra outra. No futuro, a outra parte talvez reaja de volta. E assim permanecem, num bate e volta prolongado.

É possível se livrar de uma obsessão? Primeiro, é importante saber que nem tudo que nos acontece de confuso ou mau é culpa de um obsessor. Frequentemente, são coisas da vida ou mesmo consequências ruins de algo que fizemos. Mas, supondo que seja mesmo um caso de obsessão, como agir? O processo desobsessivo é simples e racional. Nada de palavras mágicas, talismãs, sacrifício de animais, ervas, orações poderosas, alho, crucifixo, sal grosso ou qualquer coisa assim. A desobsessão segue a racionalidade, que é a base de tudo no espiritismo. E ela nos diz que uma mágoa ou um mal-entendido só podem ser resolvidos quando ambas as partes se perdoarem. Assim, em conversas com obsessor e obsidiado, busca-se a harmonização. Conseguindo-se isso, a obsessão acaba.

Salvação

Como o espiritismo entende a salvação?

No espiritismo, não há o conceito de salvação ou danação por toda a eternidade. O espiritismo não crê no céu e no inferno, mas em situações em que nos colocamos que, de fato, se assemelham ao que vulgarmente se entende por céu ou inferno. O que há é um caminhar contínuo de aperfeiçoamento do ser.

"Fora da caridade não há salvação": essa frase define bem como o espiritismo se compreende. Não é necessário ser espírita para se atingir um bom estágio de evolução, que garanta paz de espírito. O necessário para isso é a prática da caridade. E isso cabe a qualquer pessoa, de qualquer filosofia ou religião – ou mesmo a quem não segue filosofia ou religião alguma. Diz o espiritismo que basta que sejamos caridosos, ou seja, que nos guiemos pelo bom proceder, agindo no bem e no amor, para estarmos no bom caminho.

Reforma íntima

Reforma íntima é algo tão simples, lógico e eficiente quanto difícil. Simples, lógico e eficiente porque depende apenas de promover melhorias em nós mesmos. E dá resultado! Depende apenas de trocarmos hábitos e crenças que nos fazem mal por outros modos de agir e pensar que sejam baseados no bem de todos, na tolerância, no perdão e no amor. Mas, se a reforma íntima é simples e lógica, é também difícil pelo mesmo motivo: depende apenas de nós. Não há atalhos. Não se resolve uma dor moral com um par de orações decoradas, uma penitência ou uma promessa, tampouco com uma oferenda para quem ou o que quer que seja. E não há como comprar por meio de dízimo o bem-estar e a felicidade constantes e genuínos.

Para alcançar a felicidade, precisamos ser honestos com nós mesmos e com os outros. Temos que reconhecer em que erramos, admitir nossa imperfeição e de fato estar dispostos e nos dedicarmos a corrigir nossos erros.

Ceticismo como antídoto para o misticismo

A base do espiritismo é a literatura de Allan Kardec, sobretudo estes dois livros: *O Evangelho segundo o espiritismo* e *O livro dos espíritos*. O primeiro nos fala, de forma profunda e ao mesmo tempo simples e objetiva, sobre a moral cristã na perspectiva espírita, uma encantadora aula de civilidade e humanismo. Já *O livro dos espíritos* é um fantástico compêndio de perguntas e respostas sobre os mais variados temas que afetam nossa vida antes, durante e após o encarne na Terra. A literatura de Kardec é a coluna mestra do espiritismo e também uma segura proteção contra o misticismo, as crendices e as fantasias.

O próprio modo como a filosofia espírita se organizou mostra como ela preza o cuidado com a lógica e como se distancia das superstições. Não foi Kardec quem inventou o espiritismo, até porque o espiritismo não foi inventado. A comunicação entre encarnados e desencarnados (isto é, entre espíritos) sempre existiu. No Egito e na Grécia antigos, no Império Romano, nos países europeus durante a Idade Média, nas populações nativas das Américas e por toda parte, em todos os povos, encontram-se relatos e registros da interação entre os chamados mortos e os chamados vivos.

Em meados do século XIX, sobretudo na França, na Inglaterra e nos Estados Unidos, nos círculos mais esclarecidos da sociedade era moda a comunicação com espíritos, ainda que se realizasse de modo bastante rudimentar: por sinais, pancadas, letras. Pouco mais que uma divertida brincadeira. Até que Allan Kardec – homem da ciência, pedagogo discípulo de Pestalozzi, cético, ético e árduo defensor do método científico – interessou-se pelo assunto. A princípio duvidando da autenticidade de tal comunicação, aplicou a ela toda a metodologia científica para desmascarar ou comprovar o que se dizia. Observou, duvidou, perguntou, ouviu, comparou, formulou, ouviu de novo, mudou suas fontes, negou, questionou novamente, testou. Tudo o que ouvia dos espíritos foi exaustivamente comprovado antes de estruturar suas obras.

Allan Kardec, com seu estudo científico do espiritismo, "apenas" organizou, deu forma e explicação ao que via acontecer. Seu raciocínio era o seguinte: os fenômenos são concretos e o sobrenatural inexiste. Portanto, aquilo que ali se verificava (mesas suspensas no ar, por exemplo) teria que ser algo natural, sujeito às leis da ciência. Por isso é que ele classificou o espiritismo como uma ciência da observação. Concluiu que havia algo de racional, uma força desconhecida e naquele momento ainda inexplicada, uma nova ciência.

Dizia Kardec que, quando surge um fato novo não explicado pela ciência, devemos, em vez de negá-lo ou atribuí-lo ao sobrenatural, buscar ampliar a ciência para compreendê-lo. Cuidadoso, ele dizia ser preferível rejeitar 100 verdades a aceitar uma mentira. Esse seu ceticismo saudável continua muito presente no espiritismo. E é importante que continue assim, para evitar as armadilhas da crendice, do misticismo, da fantasia, do milagre, da idolatria e do messianismo.

No espiritismo, tudo é simples e racional. Não há paramentos, símbolos, talismãs, compra de redenção, ritos, rezas padrão, mistérios, segredos, eleitos, iniciação nem hierarquia. Não há o sagrado. Não há a redenção dos pecados por milagre, não há perdão dado por um religioso ou mesmo por Deus. Na verdade, tampouco há o pecado. O que há é a consciência de nossos atos e a ação de buscar corrigi-los. Tudo sempre baseado na lógica, na fraternidade e no bem.

PARTE 1
A VIDA ANTES DA VIDA

O início da vida

Marcamos o início da vida pelo nascimento.

Mas será mesmo que a vida começa apenas quando nascemos?

Alguns determinam o início da vida humana no momento da fecundação do óvulo pelo espermatozoide. Outros o determinam em um ponto bem anterior. Nós, espíritas – e a maioria da humanidade, que é reencarnacionista –, cremos que já se viveu muito, mas muito mesmo, antes do momento da concepção biológica. Para nós, a vida começou quando Deus nos criou como espíritos.

E quando foi isso? Ainda não sabemos ao certo. Deus cria espíritos a todo momento. Cria-os simples e ignorantes, ou seja, nem bons nem maus. A partir de então, por meio de diversas experiências ao longo de inúmeras encarnações, nós, espíritos, vamos amadurecendo, nos aperfeiçoando.

Nosso nascimento é, na verdade, um renascimento. Já nascemos, vivemos e morremos inúmeras vezes antes desta vida. A esse processo de viver várias experiências diferentes, ou "várias vidas", chamamos de reencarnação.

> Por intermédio da paternidade e da maternidade, o homem e a mulher adquirem os mais amplos créditos da vida superior.
>
> Chico Xavier

As reencarnações

Muita gente confunde reencarnação com viver várias vidas diferentes. Na verdade, vivemos uma única vida, já que somos, cada um, apenas um espírito. O que acontece é que esse espírito se utiliza de inúmeras passagens pela Terra como encarnado para aprender um pouco de tudo. Ele nasce, vive e morre num corpo físico. Depois, volta e repete o processo num outro corpo. Nasce ora como mulher, ora como homem; ora rico, ora pobre; ora saudável, ora doente; ora numa metrópole, ora num vilarejo.

Nós, que somos espíritos, experimentamos uma série de biotipos físicos e também, por assim dizer, biotipos sociais. Vamos sendo submetidos a todo tipo de situação, dilema, problema e oportunidade. Somos fantasticamente desafiados em todas as encarnações. Vamos tentando de tudo, errando e acertando; ganhando experiência, conhecimento e sabedoria.

Quando erramos e fazemos algo que machuca alguém, também nos machucamos, sofremos e ficamos infelizes. Quando acertamos, fazendo algo nobre, que ajuda alguém, também nos ajudamos, ficamos felizes e construímos a nossa paz. Desse modo, pelo contraste, aprendemos o que é bom e o que não é. Aprendemos aos poucos e a duras penas o que nos convém e o que devemos evitar. Por esse processo, tão simples quanto prático, evoluímos em conhecimento intelectual e moral.

Essa é a nossa vida! Nossa vida – no singular –, e não vidas. Uma vida única, mas com muitas, interessantíssimas, úteis e riquíssimas vivências! Um belo aprendizado. Uma linda história. Uma trajetória que todos, inexoravelmente, seguimos, ou melhor, construímos.

A tarefa de viver é dura, mas fascinante.

ARIANO SUASSUNA

Por que encarnamos?

Não poderíamos evoluir sem precisar encarnar? Sim, poderíamos. Também aprendemos quando estamos sem o corpo, vivendo como espíritos. No entanto, quando estamos encarnados, por conta das dificuldades que a vida na Terra nos apresenta, temos que usar nossa inteligência para achar meios de sair dessas duras provações. Com isso, aprendemos mais rapidamente.

É o mesmo que estudar e trabalhar. Aprendemos muito apenas estudando, mas, quando trabalhamos, precisamos colocar em prática o que estudamos e lidar com uma série de situações inesperadas, como o chefe autoritário, o colega fofoqueiro e o cliente reclamão. Para conseguir sucesso no trabalho, usamos o conhecimento que adquirimos na escola e na faculdade, mas também desenvolvemos a inteligência emocional, a fim de resolver questões para as quais não estávamos preparados. Isso nos exige aprender uma série de habilidades novas, como a observação apurada, a agilidade e a ousadia da experimentação. E nos exige também rever nossas certezas e posturas.

Por tentativa e erro, vamos apurando nosso intelecto e nossos valores. O desafio do viver encarnado agiliza nosso aprendizado intelectual e nosso amadurecimento moral. A encarnação seria uma espécie de "intensivão"!

Outro dia li os seguintes dizeres no perfil de uma amiga uruguaia no Facebook:

> *Sabes qual a diferença entre a escola e a vida?*
>
> *É que, na escola, primeiro aprendes uma lição e logo te dão uma prova.*
>
> *E, na vida, primeiro te dão uma prova e logo aprendes a lição.*

Não sei se ela é a autora de frase tão inspirada, mas é uma bela definição da vida como entendida pelo espiritismo: a partir de uma prova, aprendemos a lição. O propósito de encarnar e reencarnar, portanto, é: por meio de inúmeras experiências, aprendermos de tudo e nos tornarmos pessoas melhores.

Ser ignorante não é vergonha nenhuma.
Vergonha é não querer aprender.

BENJAMIN FRANKLIN

O processo da reencarnação

O processo reencarnatório se dá aos poucos. Antes da concepção biológica há todo um preparo, planejamento, e mesmo uma negociação, para que o encarne aconteça adequadamente. A partir do momento da concepção, quando o espermatozoide fecunda o óvulo, o espírito inicia sua ligação com o corpo físico em formação. A união começa na concepção, mas só é concluída na primeira inspiração do ar da Terra, no instante do nascimento.

Desde o início do processo de reencarne, o espírito, conectado ao feto, começa um processo de adormecimento. Ele vai perdendo autonomia e ficando cada vez menos senhor de si. Vai deixando o mundo dos espíritos para entrar no mundo dos homens. Vai morrendo lá para renascer cá. Até que nasce; não como um espírito adulto, vigoroso, autônomo e com todo o seu passado ativo na mente, mas como um bebê indefeso e praticamente incapaz.

Ainda que o processo do reencarne finde ao nascimento, até aproximadamente os 7 anos a criança ainda vive mais ou menos entre o mundo dos encarnados e o dos espíritos. Enquanto dorme – e crianças dormem muito –, ela está no mundo dos espíritos. É também por estarem ainda bastante ligadas ao mundo espiritual que várias crianças veem espíritos, os chamados "amigos imaginários".

Os muito idosos – que, igualmente, dormem muito – também estão mais no mundo dos espíritos que no dos encarnados. Tal como as crianças, estão em processo de transição. Momentos antes da morte, é comum verem espíritos. É quando o moribundo conversa com parentes e amigos que já se foram. Esses, em visita, vêm tranquilizá-lo e prepará-lo para o momento em que o idoso deixará a Terra e voltará ao plano espiritual.

Enquanto estiver vivo, nunca pare de aprender a viver.

SÊNECA

Planejando a volta

O que acontece antes do nascimento do bebê?

Antes do nascimento, antes mesmo da gravidez, já está tudo planejado. Os futuros pais do espírito que está por reencarnar aceitam recebê-lo como filho ou filha. Há uma negociação, que acontece durante o sono dos pais. Futuros pais e futuro filho conversam e aceitam uma vida em conjunto para benefício mútuo. Por vezes, há entre eles alguma rusga, alguma pendência de encarnações passadas. Nesses casos, o convívio em família será uma experiência intensa, rica, educativa e muito útil, que lhes dará a chance de se compreenderem melhor, se acertarem e, finalmente, se amarem. E é essa reconciliação, para o bem de todos, o que se quer.

Em outros casos, trata-se de espíritos muito amigos, que já têm afinidade e que planejam uma nova vivência juntos na promoção do bem dos que estarão à sua volta.

Há também casos em que pais e filho não chegam a um acordo para a vida em conjunto. Por vezes, a mágoa ainda está muito forte ou tais espíritos ainda são muito ignorantes ou imaturos e, portanto, ainda não têm capacidade de escolher por si. Mas, como todos, também eles devem evoluir, e, para evoluir mais rápido, precisam das educativas dificuldades que encontrarão no convívio. Como não têm discernimento, a espiritualidade superior viabiliza o encarne por eles. O espírito em conflito então nasce e, indefeso e vulnerável, dependerá da ajuda daqueles a quem magoou ou por quem foi magoado. Essa coexistência forçada terá tudo para gerar familiaridade, afinidade e amor. Será, quem sabe, o começo da retomada do bom relacionamento entre esses seres que antes não se queriam bem.

> Já vivemos muitas vezes, estamos com as pessoas certas para ajustarmos os nossos corações e resolvermos os nossos problemas. Na reencarnação, ninguém erra de endereço.
>
> CHICO XAVIER

Preparando-se para a volta

No período entre as encarnações, vivemos como espíritos, sem um corpo material como o que temos enquanto estamos encarnados na Terra. Nesse ínterim – que pode durar meses, anos, séculos ou mesmo milênios – nos preparamos para voltar mais fortalecidos. Se já temos algum discernimento, sabemos da importância de nos prepararmos para que aproveitemos melhor nossa próxima oportunidade. Então nós nos dedicamos às reflexões e aos estudos: estudamos nossa vida (e nossas várias experiências como encarnados) e estudamos os outros. Estudamos filosofia e tudo o que possa nos ajudar a ter uma próxima encarnação ainda mais útil, equilibrada e proveitosa.

Uma encarnação proveitosa é aquela em que empreendemos todos os esforços para evoluir mais rapidamente no caminho do bem. E, ao evoluir, ao mesmo tempo que estamos nos modificando, estamos ajudando outras pessoas, toda a humanidade, a igualmente se desenvolverem.

> Deus nos concede, a cada dia, uma página
> de vida nova no livro do tempo. Aquilo que
> colocarmos nelas corre por nossa conta.
>
> Chico Xavier

Chegadas e partidas

Quando nascemos, há felicidade. As famílias e os amigos comemoram a chegada daquele bebê que acaba de nascer. O mesmo acontece quando morremos, mas no mundo espiritual.

Quando morremos na Terra, nascemos no mundo espiritual. Nossos familiares e amigos que estão desencarnados também comemoram nossa chegada ao mundo dos espíritos. É como se estivéssemos nascendo novamente ali. Eles nos recebem felizes por rever um querido amigo que andava afastado, como que num duro período de estágio, em provas e estudos, durante sua encarnação.

Por outro lado, quando nascemos na Terra, morremos no mundo espiritual. Os que ficaram por lá despedem-se do amigo que agora passará anos separado deles, numa vida cheia de difíceis provas ou expiações ou numa vida proveitosa e cheia de realizações, mas, seja qual for, sempre uma vida em busca de sabedoria.

Morrer aqui para nascer lá. Morrer lá para nascer aqui. Sabendo disso, compreende-se melhor a morte. Ela ganha suavidade e beleza, deixa de ter o enorme peso que costumamos lhe atribuir.

A vitória mais bela que se pode alcançar é vencer a si mesmo.

INÁCIO DE LOYOLA

Provas e expiações

O espiritismo faz uma distinção entre provas e expiações.

Enquanto estamos desencarnados, vivendo como espíritos (condição conhecida por erraticidade), podemos, por exemplo, pedir que, em nossa próxima encarnação, tenhamos a oportunidade de viver de forma humilde e em condições carentes. Nós solicitamos, de forma voluntária, passar por essa condição para testar se já conseguiremos resistir, por exemplo, aos apelos da riqueza obtida de forma ilícita ou se seguiremos fiéis aos nossos companheiros (se não os abandonaremos assim que melhorarmos de vida). Esse teste é o que o espiritismo chama de prova.

Expiar, por sua vez, é purificar-se de um erro cometido. É quando espíritos superiores que organizam nosso próximo encarne decidem que, para nosso bem, para nosso desenvolvimento, precisamos retomar algo que deixamos de fazer ou que fizemos malfeito em encarnações passadas. É retomar lições pendentes. Pode ser o caso, por exemplo, de receber por pais filhos que abandonamos, para que tenhamos a chance de remediar o mal que lhes causamos. Se cuidarmos deles com dedicação e amor, expiaremos nosso mau proceder.

Em resumo, *prova* é um desafio que pode nos fazer avançar no processo de evolução moral, intelectual e, por consequência, espiritual. Já *expiação* é a reconstrução de algo que destruímos. Ambas fazem parte de nosso aprendizado, mas na expiação estamos ressarcindo com o bem alguém que prejudicamos. Expiação difere de carma, visto que não traz embutido em si o pesado conceito de castigo e punição, mas o fraterno e acalentador conceito de retomada e de edificante reconstrução.

Conhece-te, aceita-te, supera-te.

AGOSTINHO DE HIPONA

Nasce um bebê

Muitas vezes, acontece de o espírito reencarnante ter tido sérias desavenças com aqueles que o receberão como pais ou irmãos. Os que são pai e filho nesta encarnação podem, por exemplo, ter disputado a mesma mulher na encarnação anterior e a briga ter acabado em assassinato. Ou mãe e filha podem ter sido irmãos e sócios numa encarnação passada e uma das duas talvez tenha sido o sócio que deu o golpe no outro, jogando-o na miséria, na humilhação e no crime.

Então os espíritos outrora inimigos retornam. Juntos. Na mesma família. Voltam para se reconciliar, resgatar a relação, restabelecer a confiança e seguir adiante, crescendo, perdoando, auxiliando e amando um ao outro e atuando pelo bem comum.

Na verdade, todos voltamos para aprender que vale a pena viver em harmonia com as pessoas que nos cercam. Mas seria possível vivermos em paz se conseguíssemos identificar um no outro o atroz inimigo de outra encarnação, responsável por tanta desgraça?

Aí atua a sabedoria divina: nasce ali um bebê, gracioso e parecido com os pais. Um ser delicado, indefeso, aparentando inocência e clamando pelo amor dos dois. Os pais são compelidos a cuidar dele e então, tocados, começam a amar aquele que de outro modo talvez odiassem. Inicia-se aí uma bela trajetória que pode levar à redenção desses seres. Um processo interessante e de lógica irretocável.

> Acredita que vale a pena viver e a tua
> convicção ajudará a criar esse fato.
>
> WILLIAM JAMES

Por que esquecemos quem fomos?

Essa é uma dúvida frequente em quem se inicia no estudo do espiritismo. Se temos diversas experiências de vida nas várias passagens pelo encarne, por que não recordamos quem fomos? Não seria melhor nos lembrarmos de quem fomos e do que fizemos para, a partir desse conhecimento, retomar o nosso desenvolvimento na nova encarnação do ponto em que paramos?

Não, não seria. O que precisamos saber, sabemos. Ou melhor, o que aprendemos não é esquecido. Se, por exemplo, éramos sovinas e nas últimas passagens por aqui conseguimos vencer essa má inclinação, pronto, isso está resolvido e nesta nova encarnação seremos generosos.

Já imaginou se soubéssemos tudo o que fomos nas encarnações passadas? Será que aguentaríamos, por exemplo, saber que estupramos, escravizamos, torturamos e matamos? Pois esses comportamentos bárbaros fizeram – e ainda fazem – parte da história da humanidade em todos os tempos e povos.

Em nossas diversas reencarnações, será que fomos sempre tão sábios, controlados e bons que nunca praticamos esses crimes hediondos? Pouco provável. No passado, ações desse tipo eram corriqueiras, banais. Quem foram os piratas, os violentíssimos conquistadores e saqueadores europeus, os senhores de escravos, os oficiais e soldados dos exércitos, os imperadores das guerras, os inquisidores, os bandeirantes, os traficantes, os ladrões, os assassinos, os comerciantes desonestos, os capitães do mato, os corruptos e os torturadores?

Muitas vezes, quando se fala de encarnações passadas, gostamos de pensar que fomos reis e rainhas, nobres, estudiosos, clérigos, filósofos... Será mesmo? E, mesmo entre esses, quantos reis e rainhas, nobres e empertigados religiosos não abusaram de sua autoridade e não cometeram atos cruéis? Inúmeros, por inúmeras vezes, durante toda a história da humanidade. Durante a *nossa* história.

Como poderíamos encarar e amar nossos familiares se soubéssemos que cometemos contra eles – hoje nossos pais, filhos ou irmãos – toda sorte de crimes? Ou o contrário: e se, em nossos pais, filhos, cônjuges ou irmãos, identificássemos nossos algozes de outrora? E se soubéssemos que eles foram os responsáveis por nossa miséria e nossa dor? Seria mesmo proveitoso ter essas lembranças?

O esquecimento é necessário também para que mantenhamos nosso ego sob controle. Imagine se você soubesse que foi um monarca ou um grande político, pensador ou poeta da Antiguidade. Como se sentiria? E como agiria? Provavelmente exigiria mesuras e privilégios.

Por conta disso tudo é que Deus nos dá o esquecimento. Mantemos o que nos é útil: nossa intuição, nosso desenvolvimento moral e intelectual. Isso nunca nos é tirado, só cresce a cada experiência encarnatória e vai nos tornando pessoas melhores, espíritos mais sábios, equilibrados e amorosos. E tudo aquilo que seria um entrave à melhora de nosso relacionamento com os que convivem conosco é temporariamente retirado de nossa mente, graças ao esquecimento de nossas "vidas passadas".

Ao desencarnar, grande parte dessa memória retorna naturalmente. Lembramos de fatos importantes, aqueles que nos mostram como tem sido nossa vida ao longo de nossas encarnações: quem fomos e o que fizemos até o momento. Com isso, podemos nos avaliar e planejar futuras encarnações, que trarão novos encontros, reconciliações e aprendizados.

> Não importa quantos passos você deu
> para trás, o importante é quantos passos
> agora você vai dar para a frente.
>
> PROVÉRBIO CHINÊS

Simples e ignorantes

Quando cria espíritos, Deus os faz simples e ignorantes. Ou seja, quando somos criados, nada sabemos. Não somos bons nem maus. Com o passar do tempo, de encarnação em encarnação, vamos nos modificando.

Por ainda sermos ignorantes, interpretamos mal o que nos convém e erramos em algumas (ou várias) decisões. Erramos, erramos e erramos novamente no mesmo assunto. Até que, de tanto errar e sofrer com os mesmos erros, raciocinamos e percebemos que o melhor mesmo é não errar. E nos esforçamos por nos corrigir, ao menos naquele erro. Mas continuamos a falhar em outros assuntos. E a nos corrigir também neles. E assim vamos.

Partimos simples e ignorantes, errando, acertando, amadurecendo e evoluindo no caminho do bem, rumo à perfeição. Não há prazo nem urgência. A pressa deveria ser nossa, para que paremos de sofrer por nossas imperfeições e gozemos da felicidade dos espíritos superiores. Esses são felizes, não por serem os eleitos de Deus ou os beneficiados pela graça divina – eles são felizes porque trabalharam para isso. Cuidaram de seu modo de ser. Já se livraram de besteiras que nos prendem à infelicidade, como o ego inflado, o ciúme e a inveja, a mágoa e o rancor, a ansiedade e a angústia, o medo, o vício e tantas outras mazelas típicas de espíritos imaturos.

Basta olhar para esses comportamentos para reconhecer que a maioria de nós, encarnados neste momento na Terra, somos espíritos ainda bem longe da perfeição. Os mais evoluídos conquistaram sua paz e sua felicidade, trabalharam essas más inclinações durante seu processo evolutivo ao longo das encarnações. Livraram-se do que lhes impedia o progresso e conquistaram uma vida feliz.

Mas por que é preciso evoluir? Por que Deus não nos criou prontos, sábios, bons e perfeitos? Porque não quis. Deus, segundo o espiritismo, quis que cada um tivesse o próprio mérito por sua evolução e felicidade. Assim ele deu a cada um o timão da própria vida, a beleza da jornada que criarmos para nós mesmos e a felicidade de atingirmos o porto seguro através do próprio desenvolvimento.

> Ninguém chega a ser sábio por acaso.
> SÊNECA

Gêmeos idênticos, espíritos diferentes

A cada encarnação nos melhoramos, nos corrigimos, ganhamos sabedoria e equilíbrio, pouco a pouco. O progresso alcançado permanece conosco a cada novo nascimento.

Isso fica claro quando comparamos dois irmãos gêmeos univitelinos. Apesar de seus corpos serem praticamente iguais, seus espíritos são diferentes. Um pode ser ponderado e gentil, sendo o outro completamente desequilibrado e agressivo. À luz do espiritismo, fica fácil compreender que assim seja, pois, apesar de fisicamente parecidos e formados a partir de um único óvulo fertilizado, cada um deles é um espírito diferente.

Ao longo de suas encarnações, ambos os irmãos tiveram suas experiências e delas tiraram mais ou menos proveito, de acordo com a própria vontade. Talvez um deles seja um espírito mais velho, mais vivido e experiente. Talvez o outro ainda seja um espírito novo, em início de aprendizado. Um já sabe muito, já se libertou de ilusões, consegue concentrar-se no que de fato importa, enquanto o outro ainda vive na paixão, amando e odiando, querendo e sofrendo. Altos e baixos; êxtase e dor. Ele também chegará lá, mas ainda precisa do terreno acidentado da Terra para se educar. Ainda sofrerá com as decepções que causa para si e para outros, até que aprenda o que é viver em sociedade, em fraternidade e no bem.

Sabendo como esses dois espíritos são diferentes, fica fácil compreender por que tudo parece dar certo para um deles e para o outro a vida é um pesadelo. É que um, por já ter evoluído, compreende melhor os desafios e lida muito melhor com eles. O outro, não; ainda sofre, bate e apanha da vida. Até que aos poucos, como todos, enfim também conseguirá mudar e evoluir em bondade, paz e felicidade.

Na essência somos iguais; nas diferenças nos respeitamos.

AGOSTINHO DE HIPONA

Deficiências

E os bebês que nascem com alguma deficiência física ou intelectual? Como o espiritismo explica essa diferença entre os seres? Por que alguns nascem podendo exercer livremente inúmeras habilidades e outros nascem com problemas de saúde graves? Onde está a justiça divina nesses casos?

Comecemos relembrando como o espiritismo define Deus: "a inteligência suprema, causa primária de todas as coisas". Se Deus é perfeito, não erra. Nem comete injustiças. Então, se

Deus permitiu que em nossa presente encarnação viéssemos com alguma deficiência física ou intelectual, há de estar certo e haver justiça em tal situação.

A cada reencarnação, chegamos ao mundo com o necessário para que nossa experiência seja a mais adequada ao que precisamos viver. Se um de nós veio com alguma doença ou deficiência, não houve erro, não houve injustiça, e, diferentemente do que se costuma dizer, é muito importante esclarecer que tampouco houve punição. O que houve foi adequação. Então, se um nasce com (ou adquire mais tarde) alguma deficiência, há adequação e justiça nessa situação.

Podemos pensar, por exemplo, numa pessoa que, na encarnação passada, tenha se desviado de seu caminho por conta de devassidão. Nesta encarnação, ela pode vir com alguns travos físicos ou psíquicos no campo da atividade sexual. Punição? Não: auxílio para que não incorra no mesmo erro.

Outro exemplo: um religioso ou político, excelente orador, que tenha usado sua habilidade para, por meio da oratória, desviar inúmeras pessoas do caminho da retidão moral e do bem, que, usando de sua hábil fala, tenha levado multidões para onde quis, para o caminho que lhe traria mais poder, maiores lucros e benefícios pessoais. Esse espírito pode voltar na encarnação seguinte com dificuldades na fala. Punição? Não. Essa característica, tomada como uma deficiência, é na verdade uma tremenda ferramenta a auxiliá-lo nesta nova encarnação. Um freio para evitar que caia no mesmo erro do passado.

Que tipo de lição aprenderíamos vivendo uma situação dessas? Humildade? Solidariedade? O valor da retidão de caráter? O que aprenderíamos vivendo dependentes da beneficência humana, da dedicação e do desprendimento alheio? Ou o oposto: o que aprenderíamos vivendo a dor do abandono?

Em todos esses casos de resgate, o tempo, o constrangimento, os obstáculos e os bons e maus exemplos nos educam. Portanto, se nós somos ou se alguém de nosso convívio é portador de alguma característica especial, pensemos a respeito. Em vez de maldizer Deus ou a nossa sorte, devemos tomá-la por justiça e oportunidade de correção de rota.

Essa dificuldade é, na verdade, uma abençoada ferramenta para ajudar aquele que a apresenta a não cometer os mesmos erros do passado. E, se somos nós que de alguma forma zelamos por essas pessoas, compreendamos que aquele que está aos nossos cuidados é um espírito como outro qualquer, com a diferença de que está, temporariamente e por uma razão justa, incapacitado. Compreendamos também a nobre chance que nos é dada de praticar o bem e de aprender. Não desperdicemos tamanha oportunidade de crescimento com revolta ou lamentos.

Uma vida sem desafios não vale a pena ser vivida.

SÓCRATES

PARTE 2
A VIDA EM FAMÍLIA

Família

É à família – pais, filhos, cônjuge, irmãos, avós, tios, primos, sobrinhos, netos, cunhados, genros, noras – que devemos nos dedicar com mais afinco. Na convivência familiar encontramos nossos primeiros e, por vezes, também os maiores desafios de relacionamento. A prática do "amar ao próximo como a ti mesmo" não será verdadeira se não passar antes por nossos parentes.

Frequentemente encarnam na nossa família desafetos de encarnações anteriores. Gente que destratamos, trapaceamos, abandonamos e traímos. Ou o contrário: gente que nos fez mal. Pode acontecer de o filho que foi abandonado pelo pai na encarnação anterior vir na seguinte como mãe daquele que o largou no mundo. A reencarnação serve justamente para retomarmos nossos relacionamentos conturbados e apararmos as arestas. Não nascemos como uma folha em branco, e sim com uma ficha corrida, trazendo toda uma história de erros e acertos, amores e desafetos, vitórias e derrotas.

É claro que em nossa família encontramos também espíritos afins. Gente que se gosta muito, que pensa parecido. Gente que se acertou faz tempo e agora retorna junto para agir no bem. Talvez tenham vindo para ajudar algum de nossos familiares que ficou mais atrasado em seu desenvolvimento moral.

Por isso é tão fundamental trabalharmos pelo bom relacionamento familiar. É ali, dentro do lar, que devemos exercer em primeiro lugar a compreensão, a modéstia, o perdão e a caridade.

Vale ressaltar que no conceito espírita de família importam o amor e a afinidade, não apenas a genética. Hoje vemos vários tipos "não convencionais" de família, como as formadas por filhos de casamentos diferentes, as de mãe ou pai solteiro e aquelas em que os pais são do mesmo sexo. O organograma da família pouco importa. O que importa é como seus membros se relacionam. Há respeito? Há amor? Há cuidado entre eles? Há diálogo e compreensão? Há afinidade? Existe boa vontade? Então, ótimo! Em uma família, o essencial é dar àqueles que vivem juntos condições de aproveitar bem a sua experiência na encarnação. Quem promove esse bem-estar e vive adequadamente caminha a passos firmes para o seu aperfeiçoamento e a evolução do próximo.

> Onde quer que haja um ser humano, haverá
> oportunidade para uma gentileza.
> SÊNECA

Família espiritual

Família espiritual são aqueles que têm afinidade conosco, que pensam parecido e agem parecido. São espíritos que estão mais ou menos no mesmo grau de desenvolvimento moral e intelectual. Eles se gostam, se entendem, se querem bem e agem em conjunto.

São aqueles amigos de que gostamos tanto que até parecem ser de nossa família. Às vezes temos com eles até mais afinidade do que com nossos familiares de sangue. Mas em nossa família espiritual não estão apenas as pessoas encarnadas de nossas relações. Outros espíritos amigos podem não ter reencarnado no momento, mas nos aguardam no plano espiritual, emanando vibrações positivas para que tenhamos sucesso em nossas tarefas. Quando desencarnarmos, eles nos receberão com alegria e voltaremos a ficar juntos para novos aprendizados.

Numa passagem do Novo Testamento, Jesus parece abordar esse tema:

Enquanto Jesus estava falando às multidões, sua mãe e seus irmãos ficaram do lado de fora, procurando falar com ele. Alguém lhe disse: "Olha! Tua mãe e teus irmãos estão lá fora e querem falar contigo." Ele respondeu àquele que lhe falou: "Quem é minha mãe, e quem são meus irmãos?" E, estendendo a mão para os discípulos, acrescentou: "Eis minha mãe e meus irmãos. Pois todo aquele que faz a vontade do meu Pai, que está nos céus, esse é meu irmão, minha irmã e minha mãe." (Mateus 12:46-50)

Na vida, só há um modo de ser
feliz: viver para outros.
LEON TOLSTÓI

Adoção

E como o espiritismo entende a adoção de crianças?

Pai, mãe, irmão e filho, na visão espírita, são aqueles que se relacionam com o outro no papel de pai, mãe, irmão e filho. Para serem considerados como tais, não precisam ter o mesmo código genético, pois a genética não é o definidor da família. Genética define o físico, não o espírito.

Em quantas famílias vemos parentes consanguíneos que não se relacionam um com o outro de forma amorosa, como uma verdadeira família? Aquele que recebe uma criança aos seus cuidados tem para com ela a mais bela missão: a de auxiliar esse espírito em seu desenvolvimento.

Frequentemente o filho adotivo tem muito mais a ver com os pais adotivos do que com os pais biológicos. Sua reencarnação pode ser um reencontro de espíritos que se amam. Os pais biológicos foram apenas um canal para viabilizar o encarne. Isso, é claro, não exime de responsabilidade os pais que abandonaram o filho gerado. Mas, como em tudo, não se pode julgar e há sempre que se levar em conta o contexto: uma mãe pobre, inculta, jovem e solteira, por exemplo, é muito menos culpável pelo abandono de um filho que um pai rico e culto que tinha toda a condição de criar uma criança. Então, se você é adotado ou adotou, alegre-se! Deu tudo certo e você está com quem deveria estar.

Porém não são apenas filhos que podemos adotar. Sobrinhos, afilhados, avós, tios, irmãos, cunhados, sogros, amigos, filhos de amigos – quem quer que seja que acabe ficando aos nossos cuidados também faz parte de nossa vida. Todos esses entes queridos não surgem em nosso caminho por acaso, muito menos como um estorvo, mas como uma bela oportunidade de nos doarmos e nos melhorarmos.

Cuidar de uma pessoa é ter a chance valiosa de aprendermos e nos exercitarmos em aspectos nobres como dedicação, solidariedade, carinho, empatia, desprendimento, fraternidade e retribuição. E acredite: aquele que cuida ganha muito mais que aquele que recebe o auxílio.

> Quereis cantar louvores a Deus? Sede vós
> mesmos o canto que ides cantar. Vós sereis o
> seu maior louvor, se viverdes santamente.
>
> AGOSTINHO DE HIPONA

Homem e mulher

Espírito não tem sexo. Numa encarnação nascemos com determinado sexo, homem ou mulher, e na próxima poderemos nascer com outro. Isso acontece para que aprendamos o que é ser homem e o que é ser mulher e para que desenvolvamos a capacidade de ver o mundo de forma mais ampla, mais inteira, holística.

Imagine homens e mulheres vendo o mundo por ambas as perspectivas. Seria ótimo! Isso derrubaria preconceitos e nos faria desenvolver virtudes que não são femininas ou masculinas, mas humanas. Virtudes necessárias a todos, independentemente do sexo que o espírito está vestindo naquele momento.

Pode acontecer de um espírito com pensamento e características eminentemente masculinas encarnar num corpo feminino? Ou o contrário? Pode. Mas é importante ter em mente que não há erro. Encarnamos no gênero que é mais adequado à nossa evolução moral e intelectual naquele momento. E podemos nos recusar a viver no gênero em que nascemos naquela encarnação? Sim, podemos. Temos nosso livre-arbítrio. Mas sempre arcaremos com as consequências, boas e ruins, de todas as nossas decisões.

Recusar-se a viver aquela característica de gênero, assim como negar-se a viver qualquer outra situação que nos seja apresentada, é perder a chance de experiências e aprendizados necessários. É postergar um aprendizado que precisará ser retomado.

O destino de todos nós, espíritos, é a evolução. Vivamos cada situação de nossa vida, sobretudo as mais difíceis. Aí mora a chave da evolução. Evitá-las é perder uma rica experiência. É postergar nossa melhora rumo ao esclarecimento e por consequência, à felicidade.

> Que o caráter impere sobre os
> sinais morfológicos.
> CHICO XAVIER

Homossexualidade

E qual a visão do espiritismo sobre a homossexualidade?

O espiritismo é uma filosofia bastante lógica, aberta, inclusiva e acolhedora, uma filosofia que prega o amor. Sua visão da homossexualidade usa da mesma lente.

O que mais importa no relacionamento entre as pessoas? O amor. Pode haver amor entre homens ou amor entre mulheres? Evidentemente que sim. Lembremos que, homens ou mulheres, somos todos espíritos. Então a visão espírita sobre o tema é que, se há amor num relacionamento, pouco importa se nesta encarnação as pessoas envolvidas se apresentam como homens ou mulheres. Se dois espíritos se amam e decidem viver juntos, está tudo certo. As perguntas que cabe fazer quanto ao casal homossexual são as mesmas quanto ao casal heterossexual: eles se amam? Se respeitam? Respeitam os outros? Trabalham pela humanidade? Buscam o bem? Se assim agem, então onde mora a imoralidade nesse relacionamento?

E como o espiritismo entende a adoção de crianças por casais de pessoas do mesmo sexo? "Fora da caridade não há salvação" é a máxima do espiritismo. Ora, o que é uma adoção senão um ato de amor e, por consequência, de caridade? O que é a adoção senão uma bela oportunidade dada por espíritos a outro espírito? A adoção frequentemente é o reencontro de almas que se amam. Antes de tudo, o amor.

A felicidade do que ama está na felicidade do amado.

Agostinho de Hipona

Divórcio

Primeiro convém relembrar que, no espiritismo, não existe cerimônia de casamento. Acreditam os espíritas que o amor entre duas pessoas basta para que fiquem juntas.

O espiritismo entende a frase "O que Deus uniu, o homem não separa" como "O que foi unido pelo amor, que é algo divino, o homem não deve separar". Ou seja, numa relação em que há amor entre as partes – seja um casal heterossexual ou homossexual, ou namorados, ou mesmo no amor que há entre filhos, pais, irmãos, primos, avós, amigos, o que seja –, ninguém tem o direito de separá-las.

Mas e o divórcio? Se a separação do divórcio acontece quando já não há mais amor entre ambos, na visão do espiritismo ela não é imprópria. É apenas a adequação às leis humanas de uma situação já existente.

No entanto, também no divórcio (como em todas as situações) as partes envolvidas têm que pensar e agir de modo a minimizar os traumas a todos que fazem parte daquela relação. Cuidar de não magoar os envolvidos no divórcio também é caridade.

Conheço mais de um caso de separações absolutamente harmônicas. Famílias em que os cônjuges se separam após longo tempo de convívio mas continuam amigos, respeitando-se e mesmo se amando. E, após separados, formam novos casais. E esses dois novos casais agora geram novas famílias, que têm novos filhos e que convivem em perfeita harmonia.

O caso mais próximo ao meu coração é o de meu irmão. Depois de mais de uma década casado, ele e sua primeira esposa resolveram que era hora de se separarem. Realizaram o divórcio de forma serena, pensada e mantendo o amor que sempre os uniu. Após um tempo ambos se casaram novamente. Meu irmão, que já tinha uma filha do primeiro casamento, teve mais duas crianças. Hoje as duas famílias se relacionam, passam finais de semana juntas.

Quando uma das famílias viaja, a outra cuida do cachorro da família que viajou. Quando a sogra do segundo casamento de meu irmão precisa de algum apoio ou mesmo de socorro médico, adivinhe quem a socorre na impossibilidade de a filha fazê-lo? A esposa do primeiro casamento. E o oposto também ocorre. As esposas e os maridos são muito amigos e se apoiam mutuamente em suas necessidades. Quando o apartamento de meu irmão foi reformado, sua família se mudou para o apartamento do casal formado pela ex-mulher dele e seu atual marido; o casal viajou e deixou o apartamento para que meu irmão e sua família usassem. É ou não é algo extraordinário?

Os quatro se ajudam, os quatro são amigos, os quatro têm amor uns pelos outros. A situação é tão bela que minha sobrinha dedicou o trabalho de conclusão da faculdade aos quatro pais que tem. Uma relação de amor estendida.

Impossível? Não, possível! Basta todos quererem. Basta cuidar para que o ciúme, a inveja, a cobiça, o egoísmo, a desconfiança e outros sinais de nosso atraso moral não envenenem nossos pensamentos.

Quem ganha numa situação dessas? Todos! Não só aqueles envolvidos na situação, mas também os que orbitam em torno dessas pessoas. Ganha, na verdade, a humanidade! Ganha a paz no planeta! Se realmente quisermos, cada um de nós poderá agir como esses meus queridos e admiráveis familiares.

Se o homem soubesse as vantagens de ser
bom, seria homem de bem por egoísmo.

Agostinho de Hipona

PARTE 3
Compreender

As leis morais

Segundo nos esclarece o espiritismo, Deus rege o universo por meio de suas leis. Onze são as leis morais, que podem ser estudadas em profundidade em *O livro dos espíritos*, de Allan Kardec. São elas: Lei da Natureza, Lei de Adoração, Lei do Trabalho, Lei da Reprodução, Lei da Conservação, Lei da Destruição, Lei de Sociedade, Lei de Progresso, Lei de Igualdade, Lei de Liberdade e Lei de Justiça, Amor e Caridade.

Toda criação é regida pelas leis de Deus. Então, se Deus rege o universo por meio de suas leis, de nada adianta ficar rogando graças se não agirmos de acordo com essas leis. Se queremos ter uma vida digna, boa e equilibrada, respeitemos as leis de Deus e façamos por merecê-la.

A sabedoria consiste em ordenar bem a própria alma.

PLATÃO

Ação e reação

O livre-arbítrio (a liberdade de fazer o que desejarmos), combinado com a lei de ação e reação, é o que determinará a nossa trajetória.

Uns vão por aqui. Outros vão por ali. Decidimos nossos caminhos conforme nossas escolhas. Escolhas trazem consequências que exigem novas escolhas. É assim que vamos construindo a nossa história.

Tudo o que nos acontece, e que pode nos parecer bom ou ruim, é apenas consequência natural de nossas ações de agora e do passado. O que somos e o que enfrentaremos são o que temos desenhado para nós mesmos, por meio do nosso comportamento. Tudo muito simples e justo.

Se tenho uma vida dura e complexa e sofro, é por conta de minhas ações do presente e do passado. Se tenho uma vida mais equilibrada e sou feliz, essa condição é igualmente mérito de minhas ações do presente e do passado.

Fica fácil compreender essa lógica se pensarmos em alguém que exagera na bebida alcoólica, por exemplo. Essa pessoa sofrerá as consequências de seu descontrole na sua saúde, no trabalho e na vida afetiva e familiar. Já uma pessoa que se empenha em ser modesta, em tratar a todos com deferência, respeito e amor e que está sempre atenta e disposta a melhorar, seguramente será bem-vista e conquistará respeito, afeto e amigos por onde andar.

Causas e consequências.

Tudo o que é seu encontrará uma
maneira de chegar até você.

Chico Xavier

Destino

Há um destino determinado para cada ser? Antes de nascermos, quando se prepara o nosso encarne, tudo por que passaremos está previsto e determinado?

Não há um destino predeterminado e imutável para cada espírito em cada encarnação. Se houvesse, onde estaria nosso campo de ação para mudar as coisas em nossa vida? Onde estariam o livre-arbítrio e o mérito de nossas escolhas? O que há é, por assim dizer, uma linha mestra, algo por que devemos passar porque vale a pena ser vivido, experiências que serão benéficas ao nosso desenvolvimento. Não há, no entanto, uma definição detalhada do que acontecerá a cada experiência, a cada dia, a cada hora. Isso depende de como o encarnado agirá e reagirá a cada estímulo, pois, no fim e no fundo, a experiência é dele e é ele quem a desenha. Mais uma vez, trata-se do livre-arbítrio. Mesmo as experiências pelas quais, para nosso bem, devemos passar na presente encarnação não são fixas. Elas também podem ser modificadas de acordo com nosso modo de agir. Ninguém sofre sem necessidade. O sofrimento existe como alerta, para nos educar e promover a mudança de postura. Se já aprendemos a lição e nos corrigimos naquele assunto, agora resolvido, não mais sofreremos aquele incômodo.

Mas nós, em nossa imperfeição, frequentemente culpamos Deus ou o destino por algo que vai mal em nossa vida. Espíritas entendem que, se existe o livre-arbítrio (posso fazer o que bem entender) e a lei de causa e efeito (viverei as consequências de meu modo de agir), nem Deus nem o destino são responsáveis por nossa felicidade ou infelicidade. Somos nós que construímos nossa trajetória. As escolhas serão sempre nossas. E nossas também serão sempre as boas e as más consequências de nossas escolhas: é a chamada lei de causa e efeito, ou ação e reação.

Então paremos com o "Deus quis assim" para algo de ruim que nos acontece por nossa culpa. Deus nos permite aprender com nossos erros e acertos. Deus nos deu um tremendo presente: a autonomia. Vale lembrar sempre o provérbio: "O plantio é livre, mas a colheita é obrigatória." Em outras palavras, podemos fazer o que quisermos, mas receberemos de volta o bem e o mal que tivermos feito. Simples, lógico e justo.

> É costume de um tolo, quando erra, queixar-se do outro. É costume do sábio queixar de si mesmo.
>
> SÓCRATES

Sofrer é bom?

Quando iniciei meus estudos na filosofia espírita, achava estranhíssimo o fato de os espíritas pensarem que o sofrimento é algo bom. Mas não era nada disso: eu é que havia compreendido mal essa história de ser bom sofrer.

Com a vivência e os estudos, fui entendendo que ninguém acha bom sofrer – muito menos os espíritas. O que eles afirmam é que o sofrimento pode ser adequado, justo. A dor é apenas resultado das escolhas que fazemos. Sofremos quando tomamos decisões inadequadas. Nesse sentido, o sofrimento, mesmo não sendo agradável, tem sua função. Serve como um alerta interessante, a nos indicar o caminho a não ser percorrido.

O sofrimento torna-se nosso aliado quando nos dá os limites entre o bom e o mau comportamento. O que o espiritismo diz é que não adianta ficar lamentando e maldizendo a vida pela dor que experimentamos. O que vale é raciocinar e agir em meio aos problemas – e depois deles – para, mudando de postura, acabar com a fonte do sofrimento.

Isso nos leva a pensar no sofrimento desnecessário que alguns causam a si e ao próprio corpo. O espiritismo, por compreender que o sofrimento só é útil se nos leva a mudar de comportamento, não aprova as práticas de autoflagelação: quando machucamos nosso corpo com chicotes ou garrotes, por exemplo.

O corpo nos foi emprestado por Deus para fazermos o bem. Destruir esse corpo seria antinatural, seria prejudicar suas funções. O que devemos destruir é o erro que habita em nosso ser, como o egoísmo, o orgulho, a inveja e a cobiça. Mas esses são imateriais, são sentimentos, não habitam nosso corpo e, sim, o espírito. Portanto é inútil machucar o corpo para tentar afastar algo que não está nele, mas em nós, espíritos que somos.

> Agradeço por todas as dificuldades que enfrentei;
> não fosse por elas, eu não teria saído do lugar.
> As facilidades nos impedem de caminhar.
>
> CHICO XAVIER

Espíritos obsessores

Temos companhias espirituais o tempo todo. Quem são elas? Somos nós: gente como a gente, nem melhor nem pior. O corpo morreu, mas a pessoa, em espírito, pode continuar por aqui. Esses que por aqui ficam são, como nós, passionais e imperfeitos, ignorantes em evolução. Estão no lugar errado, pois melhor para eles e para todos é que estivessem em outras paragens, estudando, agindo, cuidando de seu aprimoramento.

Muitos desses vagam à toa, estão ao nosso redor nos observando, participando de nosso cotidiano, e vários deles se julgam no direito de interferir na nossa vida. Quando, por pensamentos descuidados, damos abertura, eles passam a influenciar nossa mente. Alguns desses espíritos, que, por ignorância moral, ainda se dedicam às más ações, podem ser bem inteligentes. Espertos, ficam à espreita, atentos, à espera de uma brecha para se conectarem conosco e nos influenciar em direção a seus objetivos. Mas que brecha é essa? Varia de pessoa para pessoa: para uns, a conexão se dá quando atiçam a cobiça financeira; para outros, quando acenam com ideias que fascinarão pelo brilho da fama ou do poder; para outros ainda, quando exacerbam sua sexualidade.

Cada um de nós tem seus pontos fracos, e é por ali que os espíritos obsessores penetram no nosso pensamento e nos influenciam. Analisemos nossos pontos vulneráveis e ergamos barricadas morais, fechando nossas frestas.

Esses espíritos exercem influência de maneira sutil e muito eficiente, convencendo-nos de que é justo o que nos inspiram. Tomam nossas dores, realçam nosso desequilíbrio e reforçam em nós o ímpeto de agir sem pensar no mal que causaremos a outros e a nós mesmos. Frequentemente reforçam a desconfiança e a sensação de injustiça para, por exemplo, instigar a vingança e a violência.

Tenhamos cuidado, portanto. Optemos pelos bons pensamentos, pela empatia, pela busca da compreensão, pela análise isenta, pelo perdão e pela real justiça. Não abramos inadvertidamente a porta à influenciação que nos causará desconforto, desequilíbrio e dor.

> Olho por olho e dente por dente e acabaremos
> todos cegos e desdentados.
>
> GANDHI

Médiuns enganadores

Cuidado com as chamadas consultas espirituais – adivinhações, previsões de futuro, leituras de sorte, interpretações de sonhos e qualquer outro tipo de assessoria esotérica. Tem muita gente inescrupulosa que se vale da ingenuidade das pessoas, da insegurança afetiva. Eles falam coisas boas que as pessoas querem ouvir e cobram por isso. Ou falam coisas que aterrorizam e pedem dinheiro para dar um jeito nelas.

São supostos médiuns, oferecendo seus préstimos em troca de dinheiro. Vários, inclusive, se dizem espíritas, mas não o são. O verdadeiro espírita é aquele que busca o bem, o conhecimento, a caridade e a reforma íntima. O espiritismo diz claramente que não se pode cobrar pela mediunidade, que ela deve ser usada para o bem da humanidade e nunca como fonte de receita.

Esses enganadores até podem ter a mediunidade desenvolvida, mas é preciso atentar para dois pontos importantes:

- A mediunidade não é uma característica exclusiva dos espíritas, tampouco de pessoas de elevado grau moral. Qualquer um pode ser médium. Não há mérito nisso: é apenas um recurso a mais que alguns de nós desenvolvemos e que deveria sempre ser usado para o bem de todos. Quem utiliza mal a mediunidade responderá por esse mau uso.
- Nem todos os espíritos já estão em elevado grau de desenvolvimento moral e intelectual. Lembremos que os espíritos somos nós mesmos, apenas sem o corpo. Portanto, um encarnado mal-intencionado, mal informado, rude, ganancioso, debochado, golpista, violento ou embusteiro continua exatamente igual ao desencarnar, só que agora é um espírito com essas características. São espíritos como esses que se prestam a trabalhar com médiuns igualmente atrasados moralmente. E, ignorantes, com frequência falam do que não sabem. Ou falam uma ou outra coisa que conseguem saber e, com isso, obtêm certa credibilidade para continuar a agir, enganar, instigar conflitos e pregar seus inconfessáveis interesses. Portanto, sim, esses leitores de sorte podem ser médiuns e podem de fato estar em contato com espíritos.

Mas como evitar ser enganado? Muito simples: não recorra a esses profissionais do engodo. E sempre, em qualquer manifestação mediúnica, mesmo em lugares de ótima reputação e por meio de médiuns corretos, vale estar atento à qualidade da comunicação: espíritos elevados nunca orientam para o mal nem fazem recomendações estapafúrdias ou pedem dinheiro e presentes.

Espíritos elevados têm linguagem simples e, ao mesmo tempo, de conteúdo profundo. Eles pregam o bem e aconselham a paz, a reconciliação, o estudo, o perdão e o amor. Espíritos evoluídos não estão à disposição de leitores de sorte – têm mais o que fazer do que se ocupar com vulgaridades e banalidades.

> Não penses mal dos que procedem mal; pensa somente que estão equivocados.
>
> Sócrates

Evolução dos mundos

Usando dados recentemente coletados pelo telescópio Hubble, pesquisadores da Universidade de Nottingham, na Inglaterra, concluíram que existem cerca de 2 trilhões de galáxias no universo. Já o prestigiado Instituto Tecnológico da Califórnia (Caltech) estima que na Via Láctea – a galáxia onde está a Terra –, apenas nela, existam algo entre 100 e 400 bilhões de planetas.

Tentei juntar os dois números e multiplicá-los: 2 trilhões de galáxias por 100 bilhões de planetas. O número é tão gigantesco que a calculadora do meu celular se recusou a mostrá-lo! É muito planeta!

Com tantas opções, seria mesmo razoável imaginar que apenas a Terra, um planetinha insignificante diante de tão gigantesco universo, seria habitada?

"Há muitas moradas na casa de meu pai." Os espíritas interpretam essa fala de Jesus como a confirmação de que muitos dos planetas que existem no universo são habitados. Na verdade, em *O livro dos espíritos* se lê que todos eles são habitados, mas que seus habitantes se apresentam de modo distinto, adquirindo formas corporais adequadas a cada ambiente, "como entre vós os peixes são feitos para viver na água e os pássaros, no ar". Segundo o livro de Kardec, existem inclusive planetas de regeneração temporária, os chamados planetas transitórios, onde espíritos se refazem e se preparam para novos encarnes. Esses seriam os planetas absolutamente estéreis, pois "aqueles que os habitam não têm necessidade de nada". Podemos então concluir que há vida mesmo em planetas que julgamos inóspitos e desabitados, pois os corpos dos que ali habitam não são tangíveis – são invisíveis aos nossos sentidos, ou seja, são espíritos.

Os mundos, segundo o espiritismo, estão em diferentes estágios de evolução. Cada um deles é povoado por seres adequados a seu estágio evolutivo. A Terra está longe de ser dos mais evoluídos, estando mais para o início da escala evolutiva de mundos do que para o topo. Mas, como os homens, também os mundos evoluem. Nosso planeta está prestes a passar da categoria de Mundo de Prova e Expiação – onde o mal prepondera sobre o bem – para a categoria de Mundo de Regeneração – onde o bem prepondera sobre o mal. Não será ainda um mundo perfeito, um paraíso, mas já será bem melhor, mais justo, mais pacífico e mais equilibrado.

Quando a Terra evoluir, os que aqui habitaram e não se emendaram, aqueles que, apesar de inúmeras chances e alertas, não cuidaram de melhorar tanto moral como intelectualmente, não mais poderão encarnar na Terra. Continuarão sua evolução em lugares mais sofridos, em planetas mais atrasados. Serão obrigados a fazê-lo para que não atrapalhem o avançar dos demais, que já compreenderam ser do seu interesse atuar no autoaprimoramento.

Tendo apenas espíritos interessados em seu melhoramento, a Terra também melhorará. Será um local onde todos se ajudarão em seu caminhar. Penso que talvez a fala de Jesus de que "Bem-aventurados os mansos, pois herdarão a Terra" tenha sido uma referência a essa evolução dos homens e do planeta.

Assim, se queremos desfrutar do futuro interessante que se avizinha aqui na Terra, apressemos o passo! E parece que esse futuro está logo ali. Basta ver como pensam e agem os brilhantes jovens das novas gerações. Esses já nasceram mais fraternos, mais preocupados com a justiça, com o ambiente e promovendo o bem. São jovens muito ativos nas polícias, no judiciário, nas questões sociais, no ambiente, em todos os temas. Em comparação com as gerações anteriores, pensam mais no todo e nos outros que apenas em si. Essa é mais uma prova de que a evolução é uma realidade e de que a mudança da Terra não tarda.

O verdadeiro bem não perece; ele é certo e
duradouro e consiste na sabedoria e na virtude;
ele é a única coisa imortal que cabe aos mortais.

SÊNECA

Religião

Qual é a melhor religião?

Talvez a pergunta mais adequada seja: qual é a melhor religião para mim?

Na visão espírita, o que importa não é a religião professada, mas o comportamento. Todas as religiões são boas em sua essência, pois pregam a mesma coisa: o amor. E do amor derivam outros conceitos importantes, como a paz, a fraternidade, a caridade, o respeito, a compreensão, a honestidade e a igualdade. A melhor religião é aquela que faz de seu seguidor uma pessoa melhor. Pode acontecer de uma religião, por sua linguagem e seu modo de explicar o mundo, comunicar-se bem com determinada pessoa e ao mesmo tempo ser inadequada para outra, pois não tem nenhum significado especial para ela e, com isso, não a auxilia em sua melhora moral.

Portanto, não há uma religião ideal. O que há é a religião que fala ao seu coração. Cada um deve ter a liberdade de escolher a sua. Porém, mais importante que pertencer a uma religião, é pertencer à turma do bem. O que é mais importante: uma pessoa ser praticante de uma religião ou ser ativa na promoção do bem? As religiões podem ser muito benéficas ao homem, desde que não deturpemos seus ensinamentos.

Queres oferecer um sacrifício propiciatório aos deuses?
Sê bom. Suficiente culto lhes presta quem os imita.
SÊNECA

PARTE 4
Errando

Medo

Todos temos medo de um monte de coisas. Medos concretos e medos abstratos. Medo do que pode acontecer e medo do que nunca acontecerá. Só que o medo pode nos deixar sem ação.

Quantas vezes deixamos de agir por medo? Não importa muito do que temos medo, mas vale raciocinar sobre essa sensação que nos escraviza e paralisa, atrasando nosso crescimento ao nos bloquear, nos impedindo de agir pelo bem ou para evitar o mal. Se deixamos, o medo fica maior que nós e comanda nossa vida.

Claro que há o medo que nos preserva a vida: é bom ter medo, por exemplo, de limpar a janela do apartamento pendurado pelo lado de fora. Não falamos aqui do temor que nos protege, mas daquele que nos paralisa.

- Por medo, deixamos de ajudar alguém na rua: "Não vou me intrometer porque pode ser golpe. Ele pode estar bêbado ou drogado."
- Por medo, deixamos de dizer às pessoas que as amamos: "O que vão pensar de mim? Vão achar que tenho segundas intenções ou que sou um fraco."
- Por medo, deixamos de agir contra a injustiça: "Podem se voltar contra mim. Melhor me preservar. Melhor não me intrometer. Não tenho nada a ver com isso."

- Por medo, deixamos de ousar e crescer: "Pode dar errado. Pode ser que eu perca tudo. Agora é tarde... se eu fosse mais novo..."

Precisamos superar nossos medos, mas como? Do mesmo modo que fazemos para crescer em outras situações: estudando a nós mesmos e então agindo com consciência. Se estivermos atentos ao nosso modo de ser e (re)agir e raciocinarmos sobre nossos temores, acharemos os meios de encarar o que nos assusta. Coragem é algo que se constrói e se conquista. A coragem para confrontar nossos maiores receios se conquista com conhecimento e fé – fé em Deus, fé no futuro e fé em nós mesmos. Pensemos sobre nossos medos. Lancemos a luz do conhecimento sobre nossos terríveis dragões e veremos que, na verdade, eles não passam de simpáticas lagartixas.

> O maior erro que se pode cometer é o de ficar o tempo todo com medo de cometer algum.
>
> Elbert Hubbard

Maledicência

Todo mundo é capaz de segurar a língua, certo? Mas quem realmente quer?

Falar mal dos outros, fazer fofoca, gerar intriga – esse péssimo hábito traz consigo uma turma da pesada: a pressuposição, o julgamento implacável, a censura, a infâmia, a passionalidade, a perfídia, a depreciação, o ataque, a difamação, a traição, o perjúrio, a infidelidade, o descrédito, o boato, a deslealdade e a especulação.

Com comportamentos tão torpes associados à maledicência, por que será que seguimos falando mal dos outros? O que nos faz seguir adiante promovendo o mal? Parece que há prazer em destruir não apenas aqueles que odiamos, mas também aqueles que nem conhecemos e, pior, amigos e entes queridos. Falamos mal de nossa família e de nossos amigos – gente que dizemos amar! Que loucura é essa?

Somos movidos a interesses; por isso, quando julgamos que uma ação nos trará determinado benefício, nós a perpetramos, muitas vezes desconsiderando os efeitos que terá nos outros.

Somos ainda bastante egoístas e imperfeitos, e a maledicência é prova inconteste de nosso atraso. No entanto, compreendendo nossa imperfeição como temporária, cabe a nós nos esforçarmos para abandonar esse comportamento. E, para que deixemos de lado qualquer hábito, devemos recorrer à trinca AHA: Atenção, Honestidade e Ação. *Atenção* aos nossos atos, palavras e pensamentos; *Honestidade* para reconhecer comportamentos inadequados e nocivos; e *Ação*, que envolve a coragem de assumir posturas novas, difíceis e contrárias a alguns interesses ou contrárias à visão da maioria. No caso da maledicência, agir significa cuidar de não falar mal de ninguém – de absolutamente ninguém.

Apenas no dia de hoje, quantas vezes você falou mal ou ouviu uma pessoa falar mal de alguém? Pratique a AHA – Atenção, Honestidade e Ação – e abandone esse péssimo costume.

> O caminho mais grandioso para viver com honra
> neste mundo é ser a pessoa que fingimos ser.
>
> SÓCRATES

Preguiça

Dá trabalho arrumar tudo. É chato lavar a louça, arrumar a cama, manter a sala em ordem. Dá preguiça ir trabalhar ou estudar logo cedo na segunda-feira. Mas a preguiça não nos leva adiante.

Se ficamos parados, se não interagimos com os outros, não observamos, não vivenciamos, não trocamos, não ensinamos e tampouco aprendemos. E não foi para isso que encarnamos, certo?

Nosso crescimento, nossa evolução moral e intelectual, exige ação e esforço diariamente. Ninguém regride em uma encarnação. Todos avançamos. Quanto avançamos, isso depende de cada um.

Uns empenham-se em seu aprimoramento e no dos demais que estão à sua volta. Esses encaram com galhardia os desafios que a vida apresenta. A vida para eles não é mais fácil que para outros, mas eles se esmeram, vão à luta, não ficam com preguiça. Evoluem mais rapidamente que aqueles que deixam tudo para depois.

Os que não dão espaço para a preguiça têm uma vida significativa, repleta de experiências e aprendizado. Atingirão o equilíbrio e a paz mais rapidamente, e não por acaso ou por graça divina, mas por empenho, por mérito.

Em diversos momentos, Cristo disse claramente que a recompensa vem com o trabalho. Mais claro, justo e lógico, impossível.

Pedi e vos será dado. Procurai e encontrareis.

JESUS CRISTO

Hedonismo

O divertimento é parte importante da experiência do encarnado. Queremos e precisamos dessas distrações. Durante as atividades de lazer, além de aliviarmos a tensão do dia a dia, nos relacionamos, compartilhamos, amamos e aprendemos. É importante ter prazer, felicidade, alegria. Mas a vida não é só isso. Todos passaremos por momentos difíceis, problemas complexos, trabalhos árduos, obrigações, rotinas aborrecidas, decepções, perdas e dores. O importante é estarmos, a todo tempo, seja nos chamados bons momentos, seja nos maus, focados no bem e em nossa evolução.

Devemos compreender que o objetivo de nossa encarnação não é sermos felizes. A Terra não é um parque de diversões. Está mais para escola ou hospital, para não dizer presídio ou manicômio. Estamos encarnados para crescer, em moral e no intelecto. E, para isso, é preciso que sejamos expostos a diferentes estímulos.

Vários desses estímulos são pontiagudos, duros, ásperos, ácidos e agressivos, mas, para que avancemos, é necessário viver também esses momentos. Precisamos desafiar constantemente nosso modo de ser. Crescemos com os desafios. Eles nos fazem pensar e repensar, testar, criar, tentar, desviar, recuar, reforçar, duvidar, insistir, agir, mudar. O que entendemos por dificuldades e problemas são, na verdade, estímulos e oportunidades. Desafiando nosso modo de ser, vamos nos apurando, e assim fazendo seremos mais, seremos melhores.

O trabalho e o esforço importam. Educam. Precisamos repensar essa ânsia de só aproveitar a vida. Aliás, o que é exatamente aproveitar a vida? Será que é comer muito, beber muito, divertir-se muito, comprar muito, viajar muito, ganhar muito? Tudo muito? Tudo para já? Ou será que aproveitar a vida é ter prazer e felicidade, mas seguir prestando atenção em quem somos, em como agimos, no que precisamos aprender, no que podemos fazer para ajudar quem está a nossa volta, em como podemos contribuir para salvar o planeta?

Fujamos de uma vida placebo. Nossa atual encarnação é um tempo valioso, que nos foi concedido para que façamos ótimo uso dele. Não deve ser desperdiçada.

Não mais desejar o prazer é o prazer supremo. Como é aliviante ter se cansado dos desejos ou tê-los abandonado.

SÊNECA

Carpe diem

É comum vermos a expressão *carpe diem* em posts nas redes sociais. Mas o que exatamente significa isso? Enquanto a maioria de nós interpreta a frase como uma ode ao prazer imediato, ilimitado, ao hedonismo e ao descompromisso, talvez haja uma outra compreensão mais ampla, mais profunda e talvez correta.

A frase é atribuída ao poeta Horácio, ou Quintus Horatius Flaccus, que viveu entre Atenas e Roma pouco antes do nascimento de Cristo. Horácio viveu intensamente o poder e a política de seu tempo. Passou por momentos muito tensos e até perigosos, e devemos levar isso em conta ao interpretar sua frase.

"*Carpe diem quam minimum credula postero*", numa tradução livre, seria: *Colha o que seu dia oferece e creia o mínimo possível na posteridade.* Ou, numa interpretação ainda mais livre: *Colha o que seu dia tem a oferecer e postergue o mínimo.*

Como epicurista que era, Horácio valorizava viver o momento presente e compreendia a brevidade da vida, mas também sabia da importância de manter a tranquilidade da alma. É improvável, portanto, que estivesse apenas apelando ao prazer imediato, desvairado, efêmero, inconsequente e egoísta.

Será que, com a célebre frase, o poeta não estava nos instigando a observar e agir no momento presente? Não estaria nos alertando para a necessidade de colher o que o dia nos oferta, como as experiências, o aprendizado e a oportunidade de fazer o bem e crescer? Para o ativo e engajado Horácio, não seria isso aproveitar o dia? Não estaria o poeta ao mesmo tempo nos instando a não postergar nada? A não procrastinar? Não estaria Horácio falando do real prazer que é assumir o controle de nossa vida?

Pensemos a respeito.

Quem faz seu contentamento provir daquilo que
vem de fora apoia-se em bases frágeis.

Sêneca

Excessos

Comemos demais, muito mais que o necessário para a manutenção de nossa saúde. Por que nos tornamos compulsivos – seja por comida, álcool, drogas, beleza, sexo ou trabalho? Para compensar alguma falta. Mas falta de quê?

Tudo o que fazemos ou que permitimos acontecer é nossa responsabilidade. Tudo sempre terá sido escolha nossa. É responsabilidade nossa, não dos outros – encarnados ou desencarnados. Temos nosso livre-arbítrio. Fazemos o que queremos. Damos espaço e atenção apenas se quisermos e ao que quisermos. E arcamos com as consequências das nossas decisões ou mesmo das nossas indecisões. Só encontraremos a solução para nossas compulsões quando realmente nos dispusermos a nos impor um limite. E temos alguns bons recursos a nos ajudar nesse desafio, como orações, leituras edificantes, atendimento psicológico, grupos de apoio e tratamentos espirituais.

Recentemente, o ator norte-americano Terry Crews nos deu um bom exemplo. Ele postou nas redes sociais um vídeo em que admite ter sido dependente da pornografia por um longo tempo. Corajoso e muito correto, Crews conta como isso atrapalhou sua vida e como fez para livrar-se da dependência. Como é bom ver gente famosa e influente trabalhando para o bem de todos nós! Terry Crews nos mostra que, no fim, livrarmo-nos de dependências depende em grande medida de nós mesmos e que reconhecer a dependência é o primeiro, o grande e o mais corajoso passo que podemos dar.

Temos o livre-arbítrio e podemos fazer o que quisermos, inclusive transformar nossos hábitos e taras. E temos também a lei de causa e efeito. Agindo para o bem, o bem receberemos.

> Eles persistem de boa vontade numa situação que
> consideram penosa e um tormento. Tal situação,
> a servidão, não atinge senão poucos homens;
> são muitos mais os que a ela se entregam.
>
> SÊNECA

Arrogância

Paremos um instante para pensar na relação entre a ignorância, a insegurança e a arrogância. O arrogante é, ao contrário do que aparenta, inseguro. Quem é seguro de si está tranquilo e não precisa exibir sua suposta capacidade. Quem não está lá muito certo do que é teme a opinião alheia. Sem a segurança da beleza de seu caráter, precisa mostrar uma plumagem exuberante para disfarçar sua feiura. E o que tem isso a ver com a ignorância? É que sábios são humildes.

"Só sei que nada sei." Essa frase de Sócrates, filósofo da Grécia Antiga, exprime bem a soma de sabedoria, segurança e modéstia que lhe eram características. O exato oposto da trinca ignorância, insegurança e arrogância. Sócrates tinha a tranquilidade daqueles que compreendem que mesmo toda a sabedoria de alguém ainda representa muito pouco. Só um sábio, que por ser sábio era modesto, para admitir que, mesmo sendo uma sumidade entre os homens, faltava-lhe quase tudo a aprender. Só mesmo um sujeito seguro de si para admitir sua fraqueza com tanta tranquilidade e humildade.

Sigamos seu virtuoso exemplo. E, da próxima vez que tivermos que lidar com uma pessoa arrogante, saibamos que, no fundo, trata-se de alguém bastante inseguro de seus atributos. Que possamos vê-la como alguém como nós, um ser ainda débil, em evolução, e que merece, como todos, nossa compreensão e nosso apoio na sua longa caminhada.

> Pouco conhecimento faz com que as pessoas
> se sintam orgulhosas. Muito conhecimento
> faz com que se sintam humildes.
>
> LEONARDO DA VINCI

Humilhação

Na história da humanidade, a humilhação já resultou no fim antecipado de muitas vidas. Um sujeito humilhado sente-se muito mal. Por vezes se vê injustiçado, deseja vingança e mata. Outras vezes, acaba na vergonha e tira a própria vida. Então vale um pensamento sobre a humilhação: o que exatamente é ser humilhado? É ser exposto em suas deficiências? É ver exposto algum mal que se fez? É ser injustiçado e vilipendiado por algo que não se fez? É ter sua arrogância cutucada?

A humilhação só acontece por conta de nosso atraso moral. Se nos ofendemos e nos sentimos humilhados, é porque ainda temos um ego bem crescidinho! Quando alguém nos agride e nossa autoestima está bem escorada pelo autoconhecimento, quando estamos seguros de nós mesmos, nada acontece. Já quando alguém nos humilha e nosso ego é do tamanho de um estádio de futebol, não há o que segure essa estrutura tão pesada e ela desaba, nos esmagando. Quem no alto se vê, de mais alto cai.

Amar a si mesmo é maravilhoso e condição necessária para seguir aprendendo, evoluindo e fazendo o bem, mas esse amor não pode ultrapassar o razoável. O bom senso tem que ser maior que o ego. O amor-próprio tem que ser saudável, raciocinado e cuidado para não virar ego inflado. É a diferença entre o cume e o precipício.

É importante compreender também que não são os outros que nos humilham; somos nós que nos sentimos humilhados. Os outros são os outros. São donos de si. Agem como quiserem agir e nada ou quase nada podemos fazer a respeito. Por que uns se sentem extremamente humilhados numa situação e outros, na mesma situação, nada sentem? O segundo grupo já tem controle sobre seus sentimentos, domina seu ego e não fica melindrado à toa. São pessoas senhoras de si. Cuidam de sua lucidez. Já se conhecem e não se iludem nem com a perfeição nem com a derrocada. A opinião dos outros sobre si tem valor apenas como ferramenta útil para a melhora do caráter.

> Tu te indignas e te queixas! Não
> percebes que todo o mal provém não
> daquilo que a ti acontece, mas da tua
> indignação e das tuas queixas?
>
> SÊNECA

Autoridade ou autoritarismo?

Alguns chefes evitam atuar de modo educado e amistoso por medo de serem vistos como fracos. Temem perder a autoridade se não forem duros, distantes, grosseiros e implacáveis. Enganam-se. Autoridade nada tem a ver com autoritarismo, muito pelo contrário.

Cada vez mais as empresas buscam líderes, e não chefes. Os líderes são seguidos porque as pessoas querem segui-los, porque os admiram, porque confiam neles, e não porque os temem. Líderes têm causas e são visionários. Líderes não mandam, porque sabem que inspirar e conquistar apoio é mais interessante e eficiente.

No plano espiritual, é exatamente assim que a autoridade é reconhecida e exercida. Muito antes de os livros de negócios recomendarem líderes servidores, os livros espíritas já anunciavam que, no mundo dos espíritos, lidera quem tem sua autoridade reconhecida por mérito, por sua elevada sabedoria e moral, e não quem tem títulos ou quem menospreza outros. Neste momento em que a Terra passa por uma mudança na essência de seus habitantes, esse novo modo de liderança também se instala e floresce por aqui.

Lembremo-nos do "Bem-aventurados os mansos e pacíficos", dito por Jesus Cristo. A mansidão fornece silêncio interior e estatura elevada, que, por sua vez, nos permitem ouvir melhor e enxergar mais longe.

> Eleve as suas palavras, e não a sua voz, porque é a chuva que faz crescer as plantas, e não o trovão.
>
> FILOSOFIA PERSA

Diferenças e preconceitos

Para o espiritismo, as diferenças individuais e coletivas são fundamentais, pois nos enriquecem e ao mundo todo. Elas são essenciais ao nosso crescimento, constituindo uma forma de o espírito vivenciar diferentes experiências. Ora nascemos como homem, ora como mulher; ora no Brasil, ora no Quirguistão; ora negros, ora asiáticos ou indígenas.

A cada vez que encarnamos, assumimos a etnia de que necessitamos para que tenhamos a oportunidade de aprender o que esses grupos sabem e sentem. Podemos adquirir a sabedoria nativa e também, eventualmente, sentir o preconceito do outro contra nossa origem. O mesmo se aplica às várias nacionalidades.

Que mérito há em nascer em determinado país ou em determinada etnia? Nenhum. Mas quanto crime foi e ainda hoje é cometido em guerras motivadas pela crença de que determinado país ou etnia tem mais direito que outro?

Todos somos seres em evolução, cada um em seu estágio. A explicação para o repúdio às supostas diferenças é nossa ignorância, nosso enorme atraso moral. Sejamos melhores que isso. Cuidemos de nós mesmos. Não nos permitamos ser tão bárbaros.

> Não exija dos familiares diferentes de você um comportamento igual ao seu, porquanto cada um de nós se caracteriza pelas vantagens ou prejuízos que acumulamos em nossa própria alma.
>
> CHICO XAVIER

Ofensa

Conhece gente que fica ofendida à toa? Essa alta suscetibilidade está apoiada em duas pernas, uma muito alta e outra muito baixa: o ego inflado e a autoestima reduzida. Alguém que se acha o sujeito mais importante da face da Terra e merecedor de toda a atenção do universo se magoa com qualquer besteira que considere uma falta de deferência à sua importância. E o oposto: alguém com baixa autoestima precisa de reforços constantes, por meio de demonstrações de atenção, para tentar se convencer de que é uma pessoa bacana e querida.

Não é raro nos aborrecermos sem motivo. Quantas vezes imaginamos um conflito qualquer e brigamos mentalmente com uma pessoa sem nem estar perto dela? Mais tarde, compreendemos que não era nada daquilo que interpretamos, que o incidente não valia a briga mental.

Quem dá espaço para a briga mental prejudica a si mesmo. Vive com a cabeça tumultuada e, por afinidade, atrai espíritos que estão por aí à toa e que gostam de uma boa encrenca.

Sabendo que agimos assim, quando algo nos aborrecer, quando desconfiarmos de algo, repensemos o que está em jogo. Que tal dar um crédito à outra parte? Confiemos que há pessoas boas, até melhores que nós. Consideremos a possibilidade de estarmos enganados quanto à má intenção alheia. Busquemos as motivações do nosso interlocutor. E, se de fato ele agiu como pensamos, por que será que agiu assim? Quais foram suas razões? De que ângulo estava vendo a realidade? Por que ele pensa diferente do que eu esperava que pensasse? Será que o erro é meu? Será que estou sendo intransigente?

Mas e se de fato o outro quis nos agredir? Se estamos com a razão, não temos o direito de ficar ofendidos? Ora, um ser muito elevado não se magoa com nada, porque sabe que tudo é precário, pequeno e relativo, que tudo passa, que tudo faz parte de seu aprendizado. Sabe que os reveses pelos quais passamos são como lições de um livro escolar: temos que passar pelas mais fáceis para ir conquistando o saber que nos permitirá passar também pelas mais difíceis. De que adianta vociferar contra o professor, a escola ou o livro escolar? Eles são apenas instrumentos a nos educar em nosso caminhar.

Aqueles que nos cutucam, nos incomodam, nos desafiam e mesmo nos humilham estão, de certa forma, nos prestando um serviço. Estão nos ajudando a repensar nosso modo de ser e nossas certezas, nos tirando de nossa zona de conforto. Sem eles a nos fustigar, ficaríamos estagnados ou, no mínimo, teríamos uma jornada muito mais longa. Essas pessoas nos empurram para a frente; são nossos aliados, não nossos inimigos.

Então, mesmo que cheguemos à conclusão de que fomos injustiçados, não nos aborreçamos. Agradeçamos pela oportunidade de aprendizado e, se formos capazes, abençoemos com uma prece aquele que nos ofendeu, pois sua pontiaguda espora nos fez avançar.

> O erro ou engano dos outros talvez fossem nossos
> se estivéssemos nas circunstâncias dos outros.
>
> CHICO XAVIER

Temperamento forte

Se tem algo que precisa de vigilância constante, é nosso temperamento. Não é vantagem nenhuma ter "temperamento forte", como se costuma dizer. O comedimento e a moderação são sempre opções melhores quando precisamos reagir a algo que nos abala. Deixemos que nossas atitudes sejam guiadas pelo bom senso, e não pelo ego.

O bom senso nos dá a realidade e o caminho. O ego nos dá a ilusão e o precipício. Quanto erro e quanto crime já foram cometidos justamente por conta de reações intempestivas, impensadas? É o caso da briga de trânsito que acaba em morte. Conheço um caso assim.

Por conta de uma simples fechada no trânsito seguida de perseguição e discussão, o pai de um queridíssimo amigo meu teve uma parada cardíaca e morreu. O agressor, o homem que dirigia o outro carro, foi embora após a discussão e nunca soube que causou uma morte com sua desnecessária reação impulsiva. Por conta desse conflito banal, filhos ficaram órfãos, uma mulher ficou viúva, um casal foi privado do convívio com seu filho, netos não conheceram seu avô. Não teria sido melhor se ambos os lados envolvidos no conflito tivessem reagido com bom senso? Reagir a algo intempestivamente nunca é bom. Não vale o risco, seja de cometer um crime, seja de magoar alguém.

Agora pensemos: quantas vezes já agimos da mesma forma que esse triste caso mostra? Quantas vezes – no trânsito, em casa, no trabalho ou no futebol – fizemos algo parecido ou pior? Então, que tal levarmos desaforo para casa? Que tal fazermos papel de bobo? Que tal termos um pouco de sangue de barata? Lembremos que a barata, reagindo com a inteligência, e não com a emoção, conseguiu sobreviver milhões de anos. Já os dinossauros, enormes e fortíssimos predadores, estão extintos.

> Se alguém a ti dirige a palavra em tom muito alto,
> faz-lhe o obséquio de responder em tom mais baixo.
>
> Chico Xavier

Dor

A dor faz parte da vida. Vivemos num planeta que, neste momento, é de provas e expiações, onde estamos a nos provar em testes de toda sorte. Viemos para aprender. E aprendemos passando por testes complexos, situações difíceis que exigem muito de nós. Exigem que pensemos, que ponderemos, que façamos escolhas. Acertando ou errando, sempre aprendemos. E se a dor existe neste ambiente, se é parte de nossa experiência, é melhor saber conviver com ela.

Já se disse que a dor é inevitável, mas que o sofrimento é opcional. É isso mesmo! A dor continuará a vir para nos mostrar o que é bom e o que não é, mas, se aprendermos a lidar com a dor, o sofrimento pode ser menor, quem sabe até inexistente.

Usemos o melhor analgésico que Deus nos deu no combate à dor: nossa inteligência. Aliás, é exatamente para expandi-la que estamos aqui encarnados. E é exercitando o raciocínio, instados pelas dores, que cresceremos em inteligência e moral.

Há três métodos para ganhar sabedoria: primeiro,
por reflexão, que é o mais nobre; segundo,
por imitação, que é o mais fácil; e terceiro,
por experiência, que é o mais amargo.

CONFÚCIO

Morte e sofrimento

Sobre a morte, um tema tão importante quando se fala da vida, escrevi outro livro – *A morte na visão do espiritismo* – exclusivamente sobre o tema, então não me estenderei. Mas convêm algumas palavras sobre alguns dos tipos de morte não natural, suas consequências e a forma mais saudável de lidar com a surpresa da partida de alguém que amamos.

Suicídio. O suicídio não é solução para nada. Ao contrário: na visão do espiritismo, é algo que traz muitas complicações. O suicida, ao invés de se livrar do problema que o aflige, conviverá com ele, agora por muito mais tempo, com o agravante de ter assassinado uma pessoa: ele mesmo. Ao problema original acrescentará o sofrimento advindo da dor do crime cometido; viverá com a angústia moral, com o arrependimento e com as tristes consequências de seu ato.

O suicida prejudica a si mesmo e, como se isso fosse pouco, prejudica também, e muito, aos que com ele conviviam, que sofrerão achando que poderiam ter feito algo, que poderiam ter feito mais para evitar tão triste morte. Só que não. O suicida, como todos, tem seu livre-arbítrio. Ele é o responsável por seus atos.

Repito: suicídio não é solução. Assim como não é a paz, o descanso, o fim, nem mesmo um bom recomeço. É apenas o início de um período muito duro, de tormento e dor ainda muito maiores e muito mais prolongados. O suicídio é um ato grave de covardia perante a vida e também um ato de profundo egoísmo, pois desconsidera os graves efeitos sobre as outras pessoas. Como ficarão os filhos do suicida? Ou seus pais? Ou seu cônjuge?

Precisamos falar mais sobre o suicídio. Por ano, segundo a OMS, mais de 804 mil pessoas se matam no mundo – uma a cada 40 segundos. Para cada um que se suicida, 20 tentaram o mesmo.

O jornalista e espírita André Trigueiro tem um interessante livro sobre o tema: *Viver é a melhor opção*. Diz André que, segundo pesquisas, cerca de 90% dos casos de suicídio poderiam ser evitados, pois são resultado de desequilíbrio, de algum distúrbio que poderia ser tratado.

Suicidas são pessoas como eu e você, com dificuldades, insegurança, tristezas e dilemas. Mas se acreditarmos que a morte nos eximirá da responsabilidade e das dores do crescimento, estaremos redondamente enganados.

Homicídio. Crime bárbaro. Justificável apenas se absolutamente impossível evitá-lo, ou seja, apenas nos casos de legítima defesa. Só quem pode determinar o final da vida é Deus.

Eutanásia. Matar uma pessoa, mesmo que um doente em estado vegetativo ou em sofrimento, é, segundo o espiritismo, inaceitável. O ser precisa do tempo que tiver como encarnado para repensar suas questões. As dores da doença, da incapacitação ou da velhice também são, na visão espírita, uma experiência – dura, mas passageira – a nos educar. Começa a surgir, no entanto, também no meio espírita, interessante discussão sobre a ortotanásia. Ortotanásia são cuidados paliativos que visam dar conforto ao paciente terminal para que viva de forma decente e confortável apenas enquanto durar naturalmente sua vida. É diferente de antecipar a morte como na eutanásia. É diferente também da distanásia, que é o oposto: utilizar-se de ações intrusivas e caras para prolongar a vida de um paciente terminal quando se sabe que, naquele caso, é impossível sua recuperação. Na distanásia, todo o tratamento apenas retardará a morte sem que o paciente recupere a vida, um sofrimento sem razão. Já a ortotanásia respeita o curso natural da vida, deixando a natureza agir num corpo que já está pronto para deixar de abrigar vida. Mantém-se o conforto, mas não se prolonga o sofrimento tentando postergar a morte.

Aborto. O espiritismo não é contra o controle da natalidade, desde que seja por métodos preventivos, e não abortivos. Nesse caso não há fertilização, portanto não há feto, não há um espírito determinado para o encarne. Não há a frustração de um encarne.

Já após a união do óvulo com o espermatozoide a situação é diferente. O ser que está encarnando tem por que ali estar. Precisa encarnar. E os que o geraram precisam recebê-lo. Houve toda uma negociação e um planejamento para aquele encarne. Há enorme expectativa. Interromper a gravidez causa extremo desconforto, para dizer o mínimo, ao espírito encarnante. E essa decisão da mãe, do pai, da avó, de quem seja, pode trazer consequências bastante graves e nefastas para todos. Matar o corpo que receberia esse ser é negar a vida a uma pessoa. Na visão espírita é um erro grave.

Compreendendo que em nenhum caso podemos antecipar a morte de alguém, importa saber que quem morre apenas deixa o mundo dos homens que estão na Terra, mas volta a viver no mundo espiritual. Na verdade, ele retorna à vida real, pois, como imortal que é, volta à vida do espírito.

Somos espíritos vivendo como espíritos, para sempre. De vez em quando, enquanto precisarmos, faremos uma imersão de aprendizado, uma espécie de curso de aperfeiçoamento, numa encarnação aqui na Terra.

Se a morte não foi provocada, aquele que morreu apenas cumpriu seu estágio aqui e voltou para casa antes de nós, que ainda precisamos ficar mais um tempinho tendo aulas, duras lições. Sabendo disso, a morte passa a ser vista de maneira muito mais leve, natural e lógica.

> Os homens semeiam na Terra o que colherão na vida espiritual: os frutos de sua coragem ou de sua fraqueza.
>
> ALLAN KARDEC

Omissão

Uma das frases que mais me chama a atenção em toda a literatura espírita é a seguinte: "Não basta não fazer o mal, é preciso fazer todo o bem possível." Uma atitude passiva não é suficiente. Ou você é ativo no bem e assume o compromisso de fazer o melhor que puder pelos outros, ou ainda está fazendo pouco.

Quem de nós pode dizer com honestidade que até aqui, durante toda a vida, fez todo o bem possível? Vamos aliviar, reduzamos o período de tempo: quem de nós pode dizer que fez todo o bem que poderia ter feito... no dia de hoje? Pense no seu dia, de quando acordou até agora. Será que, considerando apenas o dia de hoje, não deixamos escapar alguma chance de fazer o bem? A todo momento deixamos passar uma série de oportunidades de fazer o bem – que, segundo o espiritismo, é o que mais importa.

A omissão por ignorar o outro é das que mais machucam. Cito um caso acontecido no Núcleo Espírita 22 de Setembro, que frequento em São Paulo. Certa vez, Gerson, meu bom e tão querido amigo e fundador do Núcleo, em conversa com um espírito que se manifestava por meio de um médium, percebeu que esse espírito estava irritado com ele. Querendo compreender o porquê dessa bronca toda, perguntou ao espírito se eles se conheciam. A resposta foi não. Perguntou então, já que não se conheciam, por que aquele espírito estava bravo com ele. A resposta foi surpreendente: o espírito declarou que, em sua última passagem pela Terra, foi morador em situação de rua. E que certo dia Gerson passou por ele sem notá-lo, sem lhe dar atenção. Isso foi o suficiente para despertar a desarmonia entre os dois.

O que Gerson poderia ter feito quando os dois se cruzaram na rua? Muita coisa, a começar por um olhar, um cumprimento, quem sabe uma conversa. Quantos de nós temos exatamente o mesmo comportamento de meu amigo Gerson? Quem na última semana parou para conversar com alguém que estava largado na rua, sem casa, sem cama, sem proteção e dignidade? Isso é omissão.

Esse hábito de deixar passar a chance de fazer o bem tem me incomodado. Em recente viagem a Portugal, passeávamos minha esposa, meu filho e eu pelas ruas do centro antigo de Lisboa quando notei virem em minha direção, pela mesma estreita calçada, um senhor e uma garota de seus 13 anos. O senhor puxava a jovem pelo braço. Nada agressivo, mas claramente a menina estava sendo levada a contragosto. Ela chorava, quase um gemido, uma reclamação sem palavras. Nos poucos segundos entre o momento em que os avistei e aquele em que passaram por mim, muitos questionamentos surgiram em minha cabeça: seriam pai e filha? Estaria a garota doente e sendo levada pelo pai ao médico? Seria ela portadora de deficiência intelectual? Estaria dopada e aquele senhor era um sequestrador? Seria um caso de abuso?

Pensei em parar o senhor e perguntar à menina se ela estava bem, se aquele senhor era o pai dela. Mas também pensei que talvez fossem mesmo apenas pai e filha, que eu estaria me intrometendo num assunto de família ou que talvez a garota fosse doente e o pai estivesse cuidando do bem dela, e que eu o magoaria com minha desconfiança infundada. O fato é que, num misto de receio e vergonha, nada fiz. E essa omissão me causou um mal danado. Até hoje me lembro desse episódio e me dói nada ter feito. Deveria tê-los abordado.

O que nos impede de agir em conjunto ou mesmo individualmente pelo bem redentor dos males da humanidade? Provavelmente, os motivos são alguns velhos conhecidos de todos nós, como a preguiça, a descrença, a comodidade, o medo, o negativismo, o fatalismo, o egoísmo, o orgulho, a vaidade, a ignorância, a vergonha, a arrogância, a ilusão... A lista é grande. Ou talvez o que nos impede seja simplesmente a apatia.

Arregacemos as mangas e partamos para a ação! Sejamos bons. Não é preciso tempo para se dedicar ao bem se formos bons sempre. Fazer algo é nossa decisão e responsabilidade. Não fazer também é. Somos responsáveis pelas nossas omissões. Somos responsáveis pelo mal que causamos e também pelo mal que poderíamos ter evitado em todas as situações, a todo tempo.

> O que me assusta não é a violência de
> poucos, mas a omissão de muitos.
> MARTIN LUTHER KING

Inveja

Você tem inveja de alguém? Esse sentimento é construtivo ou destrutivo? Contribui para nossa evolução intelectual, moral e espiritual? Contribui para a melhoria e a paz da humanidade?

Ainda que seja comum aos homens, a inveja é nefasta, pois nos faz odiar, falar mal do outro, roubar e matar. Por vezes, leva à obsessão. O espírito ainda muito imperfeito não consegue compreender por que não é feliz como outros e por isso nutre inveja da felicidade alheia. Ele tenta influenciar o outro para que caia e seja tão infeliz quanto ele.

Em sua palestra no TED, "O comportamento moral nos animais", o professor Frans de Waal mencionou um estudo de laboratório muito interessante sobre o comportamento de macacos. Enquanto dois macacos recebiam pepinos como alimento, tudo ia bem. No momento em que apenas um deles passou a receber uvas em vez de pepinos, ocorreu uma mudança. O problema para o macaco que não recebera uvas não era receber pepinos, mas a injustiça no tratamento de ambos. Ele se sentiu preterido, ficou indócil, não aceitava o tratamento desigual. Invejava a felicidade do outro, ainda que continuasse a ser alimentado.

Repare: antes o macaco estava plenamente satisfeito e feliz com sua ração, mas foi só o outro receber algo melhor que sua inveja foi despertada.

E quanto a nós? Nosso comportamento é muito diferente? O bem do outro deve nos alegrar e nos inspirar, não nos atormentar.

Com a inveja e o ciúme, não há calma nem repouso para aquele que está atacado desse mal: os objetos de sua cobiça, de seu ódio, de seu despeito se levantam diante dele como fantasmas que não lhe dão nenhuma trégua e o perseguem até no sono.

ALLAN KARDEC

Cinismo e pessimismo

Tenho observado que em alguns círculos o sarcasmo, a crítica ferina e o pessimismo são valorizados e bem-vistos. Penso que os que assim agem o fazem para conquistar o direito de serem aceitos pelo grupo. Parecem crer que criticar e desconfiar, ver o lado pior de tudo, os tornam cultos e superiores.

Já para mim parecem pseudointelectuais que mimetizam seus pares na tentativa de esconder sua pobreza de espírito sob o manto do cinismo e da crítica. Eles escolhem o lado mais fácil, o da crítica ácida, em vez do trabalhoso porém nobre caminho da compreensão, da empatia e do perdão – a ação construtiva.

Você os conhece: eles estão por toda parte, sempre de dedo em riste. Estão nas TVs, nos jornais e revistas. Vociferam nas rádios, nos palanques e nas tribunas das igrejas. Fazem grande mal, pois pregam o desânimo, o desespero e a desesperança. Inoculam a desconfiança. Subtraem do homem o que ele tem de mais bonito: a esperança, a fé, a fraternidade, a confiança e o amor ao próximo. Sentem-se poderosos no papel de trombeteiros do caos e atribuem a si a função de juízes.

Não foi bem isso que Cristo e todos os espíritos elevados que a Terra conheceu pregaram. Nem é o que o espiritismo recomenda. Apenas criticar é bem mais fácil que perceber o que está errado e agir na construção do caminho do bem. O caminho mais fácil pode não ser a opção mais justa e recompensadora.

Desisti de ser pessimista. Não ia dar certo mesmo!

ANÔNIMO

Talentos usados para o mal

"A quem muito foi dado, muito lhe será pedido", disse Jesus. Essa questão da responsabilidade no uso de nossos talentos pode ser ilustrada de diversas formas. Falemos aqui do caso de pessoas muito avançadas intelectualmente mas atrasadas em termos morais e que usam suas habilidades para o mal.

São aquelas que empregam sua inteligência privilegiada na fabricação de armas, no aprimoramento de técnicas de tortura; são os hackers que usam sua capacidade na elaboração de golpes e planos criminosos; ou os cientistas que aproveitam o que aprenderam para desenvolver variedades de cigarro ou entorpecente mais viciantes. São os políticos que se desviam de sua nobre função de promover o bem para os cidadãos e usam sua astúcia, sua oratória e o poder que lhes foi delegado pelo povo para enriquecer. É ainda o caso de escritores, cantores, atores, diretores de cinema, teatro ou TV que, com seu carisma, criam obras interessantíssimas, mas que incitam o crime, a violência, o preconceito, a xenofobia ou a deturpação moral. Ou ainda o advogado que usa sua sagacidade e seu conhecimento para manipular as leis a serviço de clientes criminosos.

Pode ser que indivíduos com esse tipo de comportamento voltem na encarnação seguinte sem poder acessar sua inteligência: com alguma deficiência que os impeça de usar e expressar toda a capacidade de suas mentes brilhantes. Isso não é castigo divino, mas uma forma de impedir que continuem a agir no mal. É uma readequação daqueles seres, para que possam compreender o que fizeram e as consequências desse seu proceder. Durante a noite, quando adormecem, esses seres – inteligentíssimos, porém atrasados moralmente – saem do corpo portador de deficiência e, em espírito, recobram suas faculdades intelectuais, mas, quando despertam e retornam ao plano material, a incapacidade se manifesta novamente. Estão encarcerados no próprio corpo. Por causa dessa incapacidade, têm que viver do amor e da caridade de outros.

Tudo que nos foi dado deve ser usado para o bem, para auxiliar o próximo e contribuir para o melhoramento do nosso mundo. Somos responsáveis por nossos atos e guardiões dos talentos que Deus nos outorga a fim de serem usados não para nosso regozijo, mas para o bem de todos.

Aos espíritos embotados, ou obtusos, ou dominados
por maus hábitos, há que lhes raspar com
prolongada fricção a ferrugem da alma.

SÊNECA

Pelo amor ou pela dor

Por causa de nossas posturas inadequadas, causamos dor ao outro. E, ao causar dor, não dá outra: sofremos também. É a lei de causa e efeito, ou de ação e reação. Por vezes pode até parecer que aquele que causa o dano, que provoca o mal, sai ileso... mas não sai. Mais cedo ou mais tarde ele também sofre, pesadamente, pelo desequilíbrio causado. Sofrerá com uma doença grave, uma grande perda, uma injustiça ou uma angústia tremenda, como o medo, o amargo remorso, o desequilíbrio social ou familiar.

Outro dia, li uma reportagem sobre os torturadores assassinos que atuaram durante a ditadura militar brasileira. Eles nunca mais tiveram sossego após cometerem aqueles atos hediondos. Muitos caíram no alcoolismo ou nas drogas. Não se adaptaram a emprego algum. Seus relacionamentos afetivos e familiares foram completamente erodidos. Tudo que lhes restou foram o desespero e a dor. É possível pensar que vários desses sofrem também processo obsessivo. Aqueles que foram torturados, se não os perdoaram, se não atingiram grau elevado de compreensão, ficam no entorno de seus torturadores, a devolver o que passaram: torturados torturando. Para alguns desses torturadores, veio o arrependimento, e com isso pelo menos já começaram a trilhar o caminho íngreme da estrada da regeneração. Os demais ainda sofrerão por mais tempo, não porque Deus castiga, mas porque as leis divinas são justas e porque sua consciência os acusará. Sofrerão para que, por meio da dor, possam compreender mais depressa e mais eficientemente valores morais como respeito e compaixão. Sofrerão – veja que curioso! – para o próprio bem! Aprenderão com o sofrimento e sentirão a necessidade da fraternidade, da tolerância e do perdão.

É como uma criança que, teimosa, insiste em brincar com o fogo. Mesmo com os avisos dos pais, ela insiste. Até que um dia se queima. A queimadura dói, incomoda, deixa marca. A partir daí, ela passa a tomar muito mais cuidado com o fogo. Aprendeu pela dor. E se essa criança estivesse queimando formigas? Se estivesse vendo as formigas sofrerem com o calor do fogo? Teria aprendido? Deixaria de queimar as formigas? Provavelmente não. Precisaria passar pela dor da queimadura no próprio corpo para deixar de queimar formigas.

Assim acontece conosco também. Infelizmente, em geral ainda precisamos sentir a dor na própria pele para que deixemos de lado o que machuca e magoa. Só assim mudamos de comportamento. Imperfeitos que ainda somos, precisamos das fortes dores que a vida na Terra nos proporciona para que aprendamos que o melhor caminho é viver no bem.

> Não são as ervas más que afogam a boa
> semente, e sim a negligência do lavrador.
> CONFÚCIO

Julgamentos

Julgar é uma responsabilidade muito grande para juízes e jurados. Para nós, deveria ser também. Mas não: nós, que julgamos o tempo todo, o fazemos sem a menor cerimônia.

Olhamos e concluímos. Às vezes nem olhamos; só de ouvir falar, já tiramos nossas conclusões. Todos estão errados, apenas nós acertamos. Será mesmo?

De que nos adianta julgar os atos dos outros? Observar os atos alheios até pode nos servir, pois podemos imitar o que acharmos adequado, nobre e admirável, mas julgar apenas pelo prazer de condenar não é útil para ninguém, além de denotar atraso moral. Busquemos a melhora incessante, a ascensão.

Já reparou como usamos a expressão "as pessoas" com frequência? Eu usava muito essa forma de expressão: "As pessoas isto... As pessoas aquilo... As pessoas fazem assim..." Quando me dei conta disso, passei a evitar. É uma expressão arrogante, preconceituosa e excludente. Quando falamos sobre como *as pessoas* agem, nos excluímos desse grupo. Criticamos nos colocando em outro patamar. Parece que estamos afirmando que toda a humanidade – menos nós, que somos seres elevadíssimos – age de determinado modo.

Quando julgamos, nos colocamos distantes do outro; é como se criássemos duas classes de pessoas: nós e eles. Raramente o tom de nosso julgamento é de crítica construtiva. Temos prazer em derrubar o outro. Por que será? *O livro dos espíritos* nos esclarece isso na pergunta 465, feita por Allan Kardec:

> – *Com que fim os espíritos imperfeitos nos induzem ao mal?*
> – *Para vos fazer sofrer com eles.*

Kardec então emenda uma segunda pergunta:

> – *Isso lhes diminui o sofrimento?*
> – *Não, mas eles o fazem por inveja dos seres mais felizes.*

Não seria pela mesma razão que vivemos a julgar e recriminar todas as pessoas? Se elas, aos nossos olhos, erram, nosso erro fica menos dolorido.

Quase sempre somos muito condescendentes ao julgar nossos atos e muito rigorosos ao julgar os atos alheios. E se invertêssemos essa lógica? E se fôssemos muito rigorosos ao nos julgar e muito compreensivos ao julgar os outros? Ou se ao menos fôssemos tão rigorosos ao nos julgar quanto somos ao julgar os outros?

A língua inglesa tem uma expressão de que gosto muito, "*Step into someone's shoes*", que, numa tradução livre, seria *calçar os sapatos alheios*. A ideia é nos colocarmos na posição do outro para ver como ele enxerga a situação, compreendendo o seu ponto de vista. É uma boa dica para evitar julgar os outros de forma leviana.

Por que ele ou ela agiu assim? Que ação o/a levou a tal reação? O que se passava na cabeça daquela pessoa para que tivesse tal comportamento? Perguntas como essas nos colocam no lugar do outro. Lá estando e olhando o mundo pela perspectiva dele, talvez entendamos melhor seu modo de pensar e agir. E, entendendo, fica muito mais fácil ser simpático às suas causas. Fica mais fácil perdoar. Ou, ainda melhor, nem existe necessidade de perdoar, pois, havendo compreensão, nada há a perdoar.

Se acreditamos na reencarnação como processo evolutivo do espírito, então sabemos que estávamos por aqui na Terra, no passado remoto. E o passado da humanidade não foi nada tranquilo. Nossa história foi construída sobre roubos e traições, assassinatos e guerras. Torturamos, mutilamos, crucificamos e empalamos. Após invadirmos, estuprávamos e escravizávamos. E muito disso, veja que absurdo, o fizemos "em nome de Deus"! O crime é a base da história da humanidade.

Como estivemos por aqui em várias encarnações, a chance de termos participado – ou de termos sofrido – de tais barbaridades é enorme. Os que ainda hoje seguem praticando tais atos hediondos são nossos semelhantes, talvez um pouco mais atrasados que nós em seu desenvolvimento moral, apenas isso. Ou são espíritos mais novos, portanto menos experientes, que ainda creem ser a violência o método mais eficiente. E, mesmo hoje, será que num momento de fraqueza não cometeríamos o mesmo crime que criticamos? Vale a reflexão antes de apontar erros alheios.

Quem comete crimes precisa ser educado, sem dúvida. O que se discute aqui é se existem dois tipos de ser humano, os bons e os maus, ou se existe apenas gente; gente que num momento de vida age mais no mal que no bem e que mais tarde, mais evoluída, agirá mais no bem que no mal.

Frequentemente, na minha imperfeição, critico um ato de alguém. Não passa muito tempo e me pego fazendo exatamente o mesmo. Isso serve para me mostrar que não sou melhor que ninguém, que o que critico no outro ainda está igualzinho em mim. É um lembrete para que me corrija e mantenha meu ego e minha crítica sob controle. Isso acontece com você também?

Estejamos sempre atentos ao que somos: nossos atos, nossas falas e nossos pensamentos. Assim será fácil perceber se já não fazemos mais o que criticamos nos outros ou se somos iguaizinhos a eles.

> Aos outros dou o direito de ser como são. A mim,
> dou o dever de ser a cada dia melhor.
>
> CHICO XAVIER

Ambição × ganância

Confundimos ambição com ganância. Ou talvez não confundamos, mas passemos de ambição para ganância rapidinho sem perceber.

Ambição é a vontade que nos move, o combustível que nos faz levantar da cama todos os dias e viver. Ambição é o propulsor do ser humano, do comércio e da sociedade. É a vontade de melhorar de vida, de ser mais culto, de ser mais agradável, de evoluir espiritualmente, de ser uma pessoa melhor em vários aspectos. Ambicionamos casar com uma pessoa que amemos e construir com ela uma família bacana. Ambicionamos um bom emprego em que nos realizemos, em que possamos aprender e mostrar toda a nossa vontade e capacidade. Ambicionamos uma vida interessante, em que conheçamos gente igualmente interessante e belos lugares e culturas. Ambicionamos ter uma velhice saudável e confortável.

Todos temos muitas ambições ao longo da vida, e elas pouco variam de ser para ser. No fundo, o que todos ambicionamos é uma vida feliz.

A ganância, por sua vez, pode ser definida como a ambição que passou do ponto. Uma ambição exagerada, patológica. É não se contentar com pouco. Nem com muito.

Nunca. É o caso daquele sujeito que tem um iate mas quer ter um maior porque o vizinho dele na marina tem um barco mais sofisticado. A ganância é uma febre que não cede e que nos alucina e nos maltrata. Tira a nossa tranquilidade, pois sempre nos exige mais.

Se estamos o tempo todo atormentados com o que ainda não temos, deixamos de aproveitar o que temos e somos. Deixamos de observar a beleza da vida, a família e os pequenos porém importantes prazeres. Nessa ânsia por tudo conquistar, na busca incessante e frenética por algo mais, nos afastamos de todos e de nós mesmos. A ganância nos faz invejar o outro, querer o que ele tem ou é e, por vezes, até lhe desejar mal. É um sentimento carrapato, que gruda, vai nos sugando e incha sem que percebamos.

E qual seria um antídoto ou uma vacina contra a ganância? A vigilância! Estejamos atentos a quem somos e a como estamos atuando e pensando. E quando a ganância surgir, brilhante, bela, atraente e travestida de oportunidade imperdível, que tenhamos a força de espírito de rechaçá-la!

> Pelo menos uma vez por ano coloque um pouco de dinheiro na sua frente e diga: "Isto é meu." Faça isso para que fique bem claro quem é o dono de quem.
>
> VICTOR HUGO

Necessário × supérfluo

Na conversa sobre ambição e ganância, surge outra oposição interessante e digna de ser mencionada: o necessário versus o supérfluo.

Do que precisamos para uma vida plena? O que é necessário e o que é supérfluo?

Para viver, de fato, precisa-se de muito pouco. Então, tudo o que vai além do estritamente necessário é supérfluo? E, assim sendo, há mal em possuir o supérfluo?

Com base no que li no espiritismo, me parece que o que importa é a origem: se o que possuo foi comprado com trabalho honesto, é digno. O que comprei veio às expensas de alguém? Cometi algum crime para possuir o que tenho? Se tudo o que tenho foi adquirido de forma lícita, sem prejudicar ninguém, então tudo bem. Mas tudo bem também eu ter dois iates e três helicópteros? A questão do limite das posses é pessoal. O que para alguns pode parecer exagero, talvez outros acreditem ser necessário.

Agora, que é sempre bom dar uma boa olhada em quanto se tem de cada coisa, isso é. Será que usamos todas as roupas que temos? Temos jogado comida fora porque compramos em demasia e não a consumimos antes que perca a validade? Por que quero trocar de celular? Preciso mesmo de um modelo mais novo ou é apenas para me exibir? Será que acredito que aquilo que compro vai preencher algum vazio em minha vida? Boas questões para nossa reflexão.

> Mais rico é aquele que tem menos necessidades.
> ALLAN KARDEC

Tentação

Passamos de pequenos deslizes a crimes graves aos poucos, de modo suave, sorrateiro, sutil. Começamos com pequeníssimas transgressões, coisas que achamos fazer parte da vida: uma mentirinha de nada, uma insinuação maldosa, um esquecimento proposital. E, sem nos darmos conta (ou sem que queiramos nos dar conta), passamos a grandes delitos: corrupção, conspiração, desfalque, incriminação, traição, coação, violência e assassinato.

Se o caminho para cometer grandes crimes passa pela prática dos pequenos deslizes, o segredo é parar nos pequenos. Ou melhor: *antes* deles. É por isso que no "Pai-nosso" dizemos: *Não nos deixeis cair em tentação*. Melhor será se dissermos a nós mesmos: Que eu não me deixe cair em tentação! Está em nosso poder fugir das más ações. Basta querer.

Tentação é aquela *vontade* de fazer algo que sabemos ser inadequado. Se é uma vontade, ainda não aconteceu, então dá para parar por aí. Mas para isso precisamos estar atentos e querer não ir adiante com isso.

O que nos tenta? Por que será que temos vontade de fazê-lo se sabemos que não devemos? Qual é o ganho envolvido? Por que julgamos ganhar alguma coisa com algo que na verdade é um mal? O que ou quem nos influencia a ponto de considerarmos agir de um modo que sabemos ser errado? Que consequências isso terá para nós e para outros? Que danos causaremos à nossa vida e à de outros?

Devemos nos fazer perguntas como essas a todo momento, em todas as ocasiões em que a dúvida surgir. O questionamento nos leva a prestar atenção em nossos atos e a evoluir. Ele poderá nos poupar de muitas dores e nos dar a paz, e, por consequência, a felicidade duradoura que todos buscamos.

A felicidade real pode estar exatamente em evitar o prazer do ganho efêmero, que frequente e erroneamente tomamos por felicidade. Curioso, não?

> O ser humano tem a perversa tendência de
> transformar o que lhe é proibido em tentação.
> CONFÚCIO

Paixão

A paixão pode ser considerada por muitos a tradução do amor em sua mais sublime possibilidade. Mas paixão não é isso. Amor é amor, paixão é desequilíbrio. Paixão é tara, é ideia fixa, é obsessão. Paixão é aquele sentimento totalmente fora de controle que nos leva a cometer todo tipo de excesso em nome de um suposto amor a alguém ou a algo. Por paixão, muitos matam, outros tantos se suicidam. Por paixão, guerras são deflagradas. Por paixão a causas, ideias, pessoas, terras, religiões e dogmas, pessoas são torturadas e grupos, dizimados. A paixão ao dinheiro, à fama e ao poder sempre causou grande dano à humanidade. O amor é sereno e amistoso; a paixão é nervosa e agressiva. O amor é generoso; a paixão é possessiva. O amor é compreensivo; a paixão é intolerante e extremada. O amor doa; a paixão toma.

A paixão por um time de futebol frequentemente causa brigas e mortes entre torcedores que nem se conhecem. A paixão por uma religião pode provocar sectarismo, perseguições, guerras ditas santas, terrorismo, absolutismo e maniqueísmo. A paixão por uma pessoa pode deflagrar dependência, ciúme, possessividade, autoritarismo e assassinato. A paixão por um ofício pode acarretar trabalho em excesso, obtusidade, perda de outros interesses e de identidade. A paixão pelo dinheiro pode motivar ganância, sovinice e superficialidade. A paixão por nós mesmos pode gerar ego inflado, arrogância, falta de senso crítico e soberba.

Amemos. Se quisermos, amemos demais (se é que isso é possível), mas não deixemos o amor se transformar em apego e egoísmo. Amemos a todos e a nós mesmos, mas evitemos a nefasta paixão, que nos desequilibra e turva o nosso raciocínio. O amor enobrece; a paixão enlouquece.

> Se você ama alguma coisa ou alguém, deixe-o ir.
> Se voltar, é porque é seu; se não, é porque jamais seria.
> WILLIAM SHAKESPEARE

Posse e acúmulo

Ter para ser? Ou ter para se aborrecer?

Por que queremos tanto? Por que queremos ter tudo?

A impressão é de que tendo muito, de tudo, seremos felizes, reconhecidos e respeitados. Só que não é exatamente assim.

Antes de mais nada, é importante reconhecer que, na verdade, nada temos. O espiritismo nos esclarece que nada do que é material nos pertence. Não temos propriedades, temos posses. São posses pois ficam conosco por apenas um tempo: no máximo, pelos anos em que estivermos vivos, encarnados na Terra. Digo "no máximo" porque os bens podem nos deixar ainda em vida.

Com o caminhar da vida, conforme vamos conquistando mais coisas, é natural que mudemos nosso patamar de consumo e desejo. Se não temos casa, qualquer cantinho é bom. Se pagamos aluguel, queremos ter casa própria, nem que seja pequena e num local distante. Uma vez conquistada essa casinha, queremos uma um pouco maior, num local melhor e, de preferência, nova.

Essa constante busca pelo melhor em todos os campos é natural e, segundo o espiritismo, saudável. É ela que nos faz andar e que propicia o desenvolvimento da economia e do planeta. O problema não está em querer algo melhor, e sim em perder o limite do razoável. Posso querer ter mais de um par de sapatos? Claro! Mas não é razoável ter 50 pares de sapatos. É um problema termos uma joia ou uma TV de muitas polegadas? Não. Mas é problema termos uma joia ou uma TV de muitas polegadas quando não temos dinheiro suficiente para coisas mais básicas, como prover uma boa educação e saúde para nossos filhos, ou quando os recursos para adquirir tais bens não foram obtidos de forma lícita.

Como em tudo na vida, na aquisição de bens precisamos também de bom senso. A insaciável gana por ter sempre mais é diferente de ter o necessário, o razoável. E essa ganância (que, como já falamos, é diferente de ambição) é que nos leva a cometer crimes.

Ao morrermos, nossos bens materiais ficam na Terra: não levamos casa, roupas, computador, carro... nada. Nem o corpo a gente leva! Ao desencarnar, deixamos o corpo e os bens materiais e voltamos a ser o que somos em essência: espíritos. Levamos apenas o que nos é necessário e o que de fato nos pertence: nossa personalidade e nosso conhecimento; em suma, nosso modo de ser. Com isso, só isso, já somos completos.

> Sofremos muito com o pouco que nos falta e
> gozamos pouco o muito que temos.
>
> WILLIAM SHAKESPEARE

Dinheiro

Não existe problema em possuir coisas para uma vida confortável. Quem não quer uma casa em que possa se abrigar e descansar? Justo! Quem não precisa guardar algum dinheiro para ter uma velhice tranquila? Mas devemos sempre ter em mente a origem do dinheiro que vem parar em nossas mãos.

De onde vieram nossos bens? O dinheiro que comprou esses bens foi ganho e acumulado de forma honesta? Veio do trabalho? Para conquistar tal soma, prejudicamos alguém? Desviamos dinheiro público? Deixamos de pagar impostos? Mentimos? Cometemos algum crime?

E, ainda que obtida dentro da legalidade, nossa riqueza causou dor e miséria a alguém? Tudo o que é adquirido com trabalho honesto é justo. Nesse raciocínio, precisamos ter cuidado com nossa definição do que é justo e do que não é. Frequentemente tomamos por aceitável algo que é crime.

Alguns exemplos:

- Quando aceitamos comprar mais barato produtos ou serviços sem nota fiscal, estamos sonegando impostos. Somos corresponsáveis por esse crime. Esses impostos sonegados farão falta em toda parte, levarão a escassez de leitos nos hospitais, por exemplo, o que causará sofrimento a muita gente. Esse dinheiro economizado com a trapaça é um dinheiro ruim, desonesto, que causa mal à humanidade.
- Quando um empresário, um servidor público ou um político desvia dinheiro de programas sociais do governo, comete crime.
- Quando a pessoa tem condições de pagar por bens ou serviços mas usa verbas de programas sociais para adquiri-los, pode não ser algo ilegal, mas é imoral.
- Quando o médico assina o ponto no plantão no pronto-socorro do hospital público mas não fica no trabalho, ele ganha um dinheiro manchado do sangue das pessoas que deixou de atender.

Procuremos atentar para nossas ações e nos esforcemos para sermos corretos e ganhar apenas dinheiro limpo e bom. E, pelo bem de nosso sossego, estejamos atentos às nossas reais necessidades – apenas a elas.

Se vives de acordo com as leis da natureza, nunca serás pobre;
se vives de acordo com as opiniões alheias, nunca serás rico.

SÊNECA

O valor das coisas

Onde colocamos nossa atenção e nosso dinheiro? Será que não estamos supervalorizando o que achamos que nos fará mais queridos pelos outros? O que é ser sofisticado? É ter coisas caras ou é desenvolver um modo de pensar único, rico e interessante? Comprar ou desenvolver? Ser culto não é ser sofisticado? Ser bom não é ser sofisticado? Ser educado, gentil e caridoso não é ser sofisticado?

É certo que, dependendo da situação, precisamos nos vestir melhor, de modo mais formal ou arrumado, mas também é certo que ninguém precisa ter uma bolsa do valor de um carro para estar bem-vestido. Consumir com o intuito de se mostrar mais rico que o outro é um raciocínio pobre.

Se nos limitássemos apenas ao que podemos pagar e ao que nos proporciona ganho real e moralmente aceito, não haveria roubo, desvio de verba pública, corrupção e golpes. Ao adquirir bens, de forma lícita ou ilícita, e ao nos tornarmos ricos e poderosos – coisa curiosa –, verificamos, frustrados, que não estamos felizes. Temos tudo que os ricos têm. Somos agora ricos. Somos elite. Mandamos e somos obedecidos. Mas... não estamos felizes. Por que será?

Um amigo meu, apesar de bem de vida, andava bastante aborrecido. Recomendei que desse uma passada no centro espírita que eu frequento para, quem sabe, redirecionar seu caminhar e recuperar o ânimo. Ele topou e um dia, depois da palestra, passou na sala de consulta espiritual, onde um médium incorporado (pessoa que tem um ou mais espíritos alinhados em pensamento com ela) conversa com o encarnado.

Normalmente, o espírito, por meio do médium, pergunta o que está acontecendo e, após ouvir o relato, dá conselhos. No caso do meu amigo, não foi o que aconteceu. O espírito de pronto afirmou que meu amigo não estava dormindo bem, o que foi confirmado por ele. O espírito então perguntou se ele sabia por que não estava conseguindo dormir direito e, sem aguardar resposta, serenamente decretou: "Você não consegue dormir por causa do barulho das moedas."

Naquela noite, ao voltar para casa, fiquei pensando na importância de todos cuidarmos bem de fazer escolhas sábias. O que preferimos: posses ou paz?

Tenhamos apenas o que nos permita dormir tranquilos – e nada mais.

O náufrago não pode nadar com a bagagem.
SÊNECA

Distrações

É comum passarmos a vida distraídos com assuntos sem grande significado ou importância, mas que tomam nossa atenção e nosso tempo. Roubam-nos de nós mesmos e do que realmente importa. Se encarnamos para evoluir, o que realmente importa é tudo que nos ajude a caminhar pela evolução moral, intelectual e espiritual.

Como evitar o que nos afasta do caminho do crescimento, o que desvia nossa atenção das coisas mais relevantes? Não são apenas o crime e o mau comportamento que nos atrasam, mas qualquer coisa que retarde nosso caminho rumo ao progresso.

Vamos refletir sobre alguns fatores que atrapalham nossa clareza mental:

Medo. De que serve o medo? Serve para que nos afastemos do perigo, para que preservemos a saúde e a vida enquanto for o tempo de viver encarnado. Mas e o medo de tudo, o medo irracional: de que serve? De nada serve. Ele nos paralisa, nos põe em alerta constante, nos afasta de vivências importantes e úteis.

Preocupação. O que nos preocupa pode não acontecer. Ou, acontecendo, teremos que encarar a situação de qualquer modo, e, por duro que seja, isso nos trará novos conhecimentos e habilidades, ou seja, sabedoria. Então, por que se preocupar com... a preocupação? Quanta gente você conhece que vive sofrendo por algo que ainda nem aconteceu? Para quê? Por quê? Por fraqueza, ignorância, descontrole e distração.

Angústia. É uma dor pequena, incômoda e constante que fica ali nos machucando enquanto não houver solução para ela.

Mas não nos iludamos: toda solução, de um jeito ou de outro, virá de nós.

Pessimismo. Uma mentalidade que nos cega, impedindo-nos de ver o tanto de coisas boas que existem à nossa volta. Que tal olhar de forma realmente honesta e ampla, sincera e equilibrada para o tanto que somos, temos e podemos fazer?

Baixa autoestima. É diferente da modéstia. É não contar com o que é nosso e justo: a beleza de quem somos. É abrir mão de contar com o apoio e o amor de nosso recurso mais acessível e mais confiável: nós mesmos.

Insegurança. Todo mundo é um pouco inseguro, mas não deveria ser assim. Muito melhor é sermos curiosos e ativos; termos vontade e fé; tentarmos e experimentarmos. Procuremos diminuir nossas expectativas. Se der errado, deu. Corrigiremos. Aprenderemos. Recomeçaremos.

Passado. Já foi, mas tendemos a revivê-lo como se fosse agora. Se foi bom e interessante, usemos o que foi aprendido. Se foi angustiante, dolorido e ficou mal resolvido, atuemos para que não nos distraia no tanto que ainda temos a fazer agora e no futuro.

Futuro. Não chegou, no entanto, desviamos toda a nossa vida do presente para ele. Diz-se que o futuro a Deus pertence. Mas também a nós pertence. Tudo o que fazemos hoje terá reflexo em nosso futuro, seja em nossa saúde, em nosso conforto material, no amor ou ódio que receberemos. Ora, se o futuro se constrói no presente, ocupemo-nos do presente.

Ódio. Algo que nos queima por dentro e nos enfeia por fora. É uma azia cujos antiácidos são o raciocínio e o diálogo interior. Optemos conscientemente por abrir mão do ódio que nos corrói. Façamos isso, se não pelo outro a quem lançamos nosso ódio, por nós mesmos. Não percebemos, mas na verdade o nosso ódio é dirigido, em primeiro lugar e em maior escala, a nós mesmos. Quem odeia carrega o objeto de seu ódio dentro de si. Livremo-nos desse pesado – e absolutamente opcional – desconforto.

Culpa e remorso. De nada nos servem, senão como um alerta para agirmos no bem, na recomposição. Troquemos esses sentimentos, que são improdutivos tormentos, pela ação no bem, na reparação de nosso erro, que é produtivo fermento: faz o bem crescer e se espalhar por toda parte.

Inveja. Em vez de trabalharmos para conquistar a nossa paz, focamos na paz e nas alegrias que o outro conquistou. Que erro! Que bobagem! Vejamos o outro como um exemplo interessante e útil e não nos permitamos olhá-lo na pequenez da malévola e destruidora inveja.

Ciúme. Egoísmo. Insegurança. Depressão. Não: ele ou ela não é nosso. Ele ou ela é dele ou dela. Cada espírito é dono de si e de seu destino. Querer alguém apenas para si é mesquinho atraso. Se gostamos, se amamos, permitamos que outros também gostem, amem e usufruam de seu amor. Isso, sim, é amar de verdade.

Status. Dá um trabalho enorme manter o status. Tira-nos a paz. Para que e para quem tanto status? Quem de fato precisa disso? O que essa soberba toda nos traz de positivo? Modéstia, humildade e genuinidade nos proporcionarão a tranquilidade e a paz que perdemos cuidando de preservar as aparências.

Egoísmo. Viver num cofre? Não dá para segurar tudo para si. Como disse Francisco de Assis, é dando que recebemos. Exercitemos o desapego e a doação.

Intromissão. Se nos falta tempo para tudo, inclusive para cuidar de nós mesmos, por que ficar cuidando de falar mal e fazer mau juízo da vida alheia? Voltemo-nos para nossos interesses, para nossa vida. Tudo passa muito rápido. Não percamos tempo!

Preguiça. Gostosinha, confortável, mas inútil e muito perigosa, a preguiça atrasa nossa evolução e cria marasmo em torno de nós. E em água parada só crescem lodo e doenças.

Expectativas irreais. Todos as temos, e geralmente são enormes, maiores do que indicam a lógica e o histórico. Que tal trazer nossas expectativas para o mundo real? Isso não significa descrer de seu potencial, apenas compreender que somos seres em evolução, ainda a caminho, longe da perfeição e, portanto, incapazes de obter a felicidade absoluta.

Ignorância. A base de todos os males. Nosso objetivo primeiro e maior deve ser aprender. Sempre ignoraremos algo, mas quanto mais soubermos, menos nos escandalizaremos. Atuaremos com menor preconceito e maiores saber e prudência, calma e paz. Quanto mais sábios formos, melhores e mais felizes seremos.

Listamos aqui apenas alguns itens que nos tiram a paz, que prejudicam a retidão do nosso caminho. Agora busque na sua memória e vivência: quantos outros comportamentos lhe tiram a atenção do que de fato importa? O que mais o irrita? O que mais encrenca a sua vida sem que seja algo de fato importante? Atente para esses comportamentos, impedindo a ação desses fatores de distração. Devemos rechaçá-los e nos concentrar no que de fato importa: o bem.

O egoísmo, o orgulho, a vaidade, a ambição, a cupidez, o ódio, a inveja, o ciúme e a maledicência são para a alma ervas venenosas, das quais é preciso a cada dia arrancar algumas hastes e que têm como contraveneno a caridade e a humildade.

ALLAN KARDEC

PARTE 5
ACERTANDO

Coragem

Não precisamos ser corajosos para ter coragem. Para ter coragem, é necessário uma única coisa: iniciativa.

Ir. Seguir em frente. Arriscar. Tentar.

Saber que pode dar errado e que, mesmo se der errado, vai ficar tudo bem.

Penso que tratamos a coragem com excesso de deferência. Alguém já disse que os corajosos são os covardes que não conseguiram fugir. Eu diria que os corajosos são os medrosos que não deram muita atenção ao medo e foram à luta.

Gente normal se torna corajosa quando decide viver. Para ter coragem, basta seguir o que mandam nossa consciência e nosso coração, na certeza de estar praticando o bem. Quando sabemos que estamos fazendo o que é certo, nos enchemos de coragem e de força para superar os temores.

Assim, procuremos dar menos atenção ao medo, menos reverência à coragem e, seguros de estarmos fazendo o que é certo e o que é bom, simplesmente sigamos adiante!

> A verdadeira coragem não é a de enfrentar o leão, a cobra, mas, sim, a de enfrentar o nosso próprio impulso.
>
> CHICO XAVIER

Fé

Ter fé é acreditar que está tudo certo e que vale a pena tentar. Quando queremos muito alguma coisa e nos esforçamos para conquistá-la, a chance de ter sucesso é grande. E, se não tivermos sucesso, tudo bem também, porque temos a consciência tranquila de que fizemos o nosso melhor. Tentaremos novamente, de forma diferente. Ou então desistiremos e seguiremos por outros caminhos. Não há demérito em desistir se o objetivo se prova inviável, da mesma forma que não há coragem na teimosia arrogante de insistir em algo apenas para manter a decisão.

Pense comigo: se Deus existe, tudo está sob seu controle. Lembremo-nos da definição de Deus pelo espiritismo: "Deus é a inteligência suprema, causa primária de todas as coisas." Ora, se Deus é a causa de tudo, tudo o que acontece tem um propósito e um encaminhamento. Nada está errado, muito menos perdido para sempre. Sempre há futuro. Sabendo que assim é, por que se desesperar com o que quer que seja?

Com fé, sabemos que mesmo a pior das tragédias tem um propósito. Tudo tem conserto. Tudo tem jeito. Tudo tem sentido. Esse é um pensamento absolutamente reconfortante e libertador! Nada, então, importa tanto assim. Tudo se resolverá de um modo ou de outro. Fé tem mais a ver com o verbo *saber* do que com o verbo *acreditar*: saber que tudo se encaminha, sempre, para o bem.

O espiritismo nos incentiva a ter a chamada fé raciocinada, baseada na lógica, que não vai contra a ciência e o bom senso. É a fé que não exige que acreditemos em fatos absurdos. Tudo deve passar pelo chamado crivo da razão. Nada que seja irracional deve ser aceito. Para tudo há uma explicação lógica.

Fé é confiar no presente e no futuro. E agir tranquilamente na construção do bem. Mas não se pode usar a fé como desculpa para não fazer nada, acreditando que no final tudo se ajeita. A fé sem ação é inútil. Se as coisas não saírem como desejamos, tenhamos compreensão e calma e sigamos firmes na ação, tentando outra coisa, pois tudo se encaminha.

> A fé não move montanhas; a fé nos faz escalá-las.
>
> Leon Tolstói

Responsabilidade

Durante boa parte da minha vida, as palavras "responsabilidade" e "disciplina" soaram, para mim, pesadas, penosas e aborrecidas. Graças ao estudo do espiritismo, porém, fui mudando meu modo de ver o mundo e a mim mesmo, e conceitos como esses ficaram mais leves e bastante importantes.

De acordo com a filosofia espírita, temos responsabilidade com todos e tudo. Somos responsáveis pelo modo como agimos e por deixarmos de agir. Somos responsáveis pelo modo como expressamos nossos pensamentos e mesmo pelo que pensamos. Todas as pessoas à nossa volta podem ser influenciadas pelo nosso comportamento.

A responsabilidade pode ser considerada a chave-mestra do espiritismo. Quando cada um de nós assumir a responsabilidade por seu modo de ser e agir, pronto, tudo estará resolvido. Em essência, é isto que prega a filosofia espírita: que cada um cuide de si. Que cada um assuma a responsabilidade por si. Que cada um aprenda por si.

Esclarecendo a si mesmo e aprendendo o valor de ser correto e bom, cada um passará a atuar em prol do outro, em favor de todos, para o bem da humanidade. Lembremos que o bem é coletivo, mas a decisão de agir no bem é individual. Depende de cada um de nós avançarmos mais rapidamente. Se demorarmos, haverá mais sofrimento. Se nos adiantarmos, maiores serão a nossa paz e o nosso bem-estar. A decisão cabe, como sempre foi, a nós.

Mas e o outro? Só eu tenho que mudar? Só eu tenho que me corrigir? Só eu tenho que agir corretamente? Só eu sou responsável por tudo? Não, claro que não. Todos somos responsáveis por tudo. Só que o outro... é o outro. Sobre ele temos praticamente nenhum poder. Então, por que perder tempo e energia tentando modificar o outro enquanto temos ainda muito a fazer por nós mesmos? Por que ficar ocupado ou preocupado com os erros alheios quando ainda temos tantos erros nossos a corrigir? Se cuidarmos primeiro do nosso modo de ser e agir, nossos bons exemplos certamente ajudarão na mudança do outro e no progresso geral.

O homem caminha no meio das próprias
obras, portanto, se o caminho se encontra
áspero, não adianta reclamar com Deus.

CHICO XAVIER

Disciplina

Disciplina compreende organizar-se para atingir um fim, planejar-se e seguir firme rumo ao objetivo desejado. Não existe evolução sem disciplina.

Este é meu terceiro livro, e ele só está saindo porque me determinei a isso. Poderia ser meu 23º ou 53º livro se eu tivesse mais disciplina. Tempo, afirmo não ter, mas tempo se fabrica. Se eu tivesse perdido menos horas vendo TV ou fazendo coisas menos importantes, ou se tivesse acordado mais cedo, ou se não tivesse trabalhado tanto fora do horário regular, talvez pudesse estar no 73º livro.

Para se ter uma ideia, Chico Xavier, o brilhante médium brasileiro, escreveu nada menos que 412 livros, de 1932 até 1999. Uma média de 6 livros por ano, todos os anos, ao longo de 68 anos! O bom Chico, com suas inúmeras atividades de atendimento às dores alheias, seguramente não tinha tempo sobrando, mas ainda assim nos trouxe todas essas obras. Não fosse ele um sujeito que se empenhou em se disciplinar, você acha que teria tido tão profícuo resultado?

Fechei um acordo comigo mesmo de escrever este livro em duas semanas (o tempo que levei no anterior, *A morte na visão do espiritismo*). Trabalharia nele durante as férias entre o Natal e o réveillon de 2014. Mas o livro só ficou pronto quase três anos depois! Levei muito mais tempo do que havia previsto porque não fui disciplinado o suficiente. Por falta de determinação, deixei a preguiça reinar no tempo em que poderia escrever.

Nem sempre conseguimos sucesso no planejado. Sêneca, o brilhante pensador, nos diz que o mais importante é saber o que é certo e o que nos convém. Nem que num primeiro momento não consigamos fazer o que sabemos ser certo, importa sabê-lo. Nem tudo (aliás, muito pouco) que listo neste livro já faz parte de minha rotina, mas sigo procurando pautar minha vida por esses belos e significantes conceitos espíritas. Aos poucos, dia após dia, vou incorporando esse modo de ser.

Disciplina é isto: é desejar e fazer de tudo para concretizar o que se quer. Cada um depende apenas de si para atingir seus objetivos. E a mesma disciplina é necessária para mudar hábitos que nos fazem mal. Que tenhamos a disciplina necessária para modificar modos de agir que incomodam a nós e aos outros. Se quisermos, se nos comprometermos, se nos programarmos e agirmos consistentemente, chegaremos lá.

> Os três passos do serviço: primeiro, disciplina;
> segundo, disciplina; e terceiro, disciplina.
> CHICO XAVIER

Trabalho

Trabalhar cansa e, por vezes, irrita. Mas, como diz o velho ditado, o trabalho enobrece! No trabalho somos constantemente testados e desafiados. Cada um de nossos colegas pensa de um jeito e tem uma visão de mundo, e é ali, naquela convivência e naquele ambiente, que, a despeito de todas as diferenças, precisamos atingir nossos objetivos.

O ambiente profissional requer um exercício constante de empatia, negociação, compreensão, doação, abnegação, persistência, flexibilização e fraternidade. No trabalho – e também em casa – temos a melhor escola para nos ensinar a viver em harmonia e a domar nosso gênio. Assim pensando, o trabalho ganha um significado ainda maior.

É o meio de adquirirmos nosso sustento? Sim, é. É por meio dele que conseguimos acumular alguma riqueza que nos permite alguns prazeres e uma velhice com conforto? Sim, sem dúvida. Mas o trabalho é bem mais que isso. É o nosso laboratório. Nosso curso intensivo de melhoria de caráter. A cada problema, a cada nova oportunidade, somos desafiados em nossa capacidade intelectual e na firmeza de nossos valores morais.

Quando se gosta do que se faz, quando se toma o trabalho por desafio edificante, quando se aproveita o trabalho para relacionar-se com pessoas diferentes, para aprender com elas e amá-las, o trabalho passa a ser leve, alegre e muito recompensador. Alguns dirão que no trabalho que exercem isso é impossível, que o clima ali é péssimo, que o chefe é um crápula, os colegas são um bando de fofoqueiros interesseiros. Mas a quem compete fazer com que o ambiente no trabalho seja bom? Ao patrão? Ao chefe? Aos colegas? Aos subordinados? Ou a todos nós? Vale pensar.

Alguns sucumbem. Outros crescem. Estes ficam melhores a cada dia. Esforçam-se para tomar as decisões mais justas, para fazer com que o seu trabalho se reverta no bem para a humanidade, e não apenas em ganho financeiro para si e para os seus. Eles aproveitam o exercício de sua profissão para buscar o que viemos todos fazer nesta vida: crescer moral e intelectualmente. Esse é o nosso objetivo na vida, essa é a razão de nossa encarnação.

Pode-se viver no mundo uma vida magnífica quando
se sabe trabalhar e amar: trabalhar pelo que se
ama e amar aquilo em que se trabalha.

LEON TOLSTÓI

Sinceridade

Outra importante ferramenta na promoção do bem é a sinceridade. Em primeiro lugar, sejamos sinceros conosco. Evitemos mentir para nós mesmos. Quantas vezes tentamos justificar nossos erros arranjando uma desculpa esfarrapada para evitar reconhecer nossa fraqueza de caráter? A questão é que podemos até enganar uns e outros, mas não quem mais importa: nós mesmos. Sabemos que agimos errado. E, mais cedo ou mais tarde, essa nossa falha em reconhecer e corrigir nossos erros nos trará a conta.

Portanto, que tal iniciarmos nosso processo de sinceridade sendo sinceros conosco? Ao nos percebermos justificando algum ato nosso, puxemos o freio de mão, engatemos uma boa marcha a ré e refaçamos o caminho. Veremos que, conforme formos sendo mais honestos, mais leves e felizes nos sentiremos. Não há sono melhor que o sono do justo. Não há tratamento de beleza mais poderoso que amar a si mesmo, que estar orgulhoso do caminho trilhado. Estar bem consigo é paz duradoura, é a paz de Deus.

Se a sinceridade consigo mesmo é um tremendo ganho na nossa escalada rumo à evolução e ao bem, a sinceridade com o outro não é menos importante. Sejamos sinceros com os que estão conosco nesta nossa passagem pela Terra. Mas cuidado: cultivemos a boa sinceridade, a sinceridade construtiva, a sinceridade afável, que vem enfeitada pelo amor, pelo carinho, pelo cuidado e pela vontade de fazer o bem. Essa é a sinceridade que toma coragem de falar o que é necessário mesmo que o outro não deseje ouvir. É a sinceridade que fala afagando, sem magoar, com o singelo e modesto intuito de ajudar, não de derrubá-lo.

A sinceridade construtiva fala à inteligência, mas também ao coração do outro. É uma observação, um conselho, uma opinião que contribui para o crescimento dele. É um gesto de honestidade que, ao invés de rebaixar a pessoa na reprimenda, a eleva. Mostra-lhe que dá para subir, seguir, avançar. Explica que, no que ela erra, também erra ou errou aquele que fala. Aponta as falhas alheias reconhecendo ainda inúmeras falhas em si. Humildade, cuidado, delicadeza e amor – eis os companheiros inseparáveis da sinceridade construtiva.

> A verdade que fere é pior do que
> a mentira que consola.
>
> CHICO XAVIER

Elogio

Quem não gosta de receber um elogio? Todos gostamos. Ser elogiado é ser reconhecido, é ser querido, é ser amado. E, em essência, o que todo mundo busca é ser amado.

O problema é que muita gente usa o elogio como uma poderosa ferramenta de relacionamento e, com isso, nem sempre ele é sincero. Mas não nos iludamos: as pessoas sentem quando o elogio é sincero e quando não é. Sabem diferenciar quem as bajula porque quer algo e quem de fato está reconhecendo algum mérito.

Todos os dias temos inúmeras oportunidades de ofertar elogios sinceros. Quer ver? Gostou de um novo corte de cabelo, de um ponto de vista, de uma postura, de um raciocínio interessante, de uma comida bem-feita? Elogie! Achou a pessoa inteligente, o ambiente da casa harmônico, gostou do atendimento do balconista, admirou uma atitude da sua chefe? Tudo isso merece elogios. Alguém conseguiu abandonar um vício, está conseguindo ficar mais calmo e equilibrado, se arrependeu, se desculpou, reconheceu seu erro? Esse alguém precisa e merece ter o exemplar comportamento reconhecido.

O que nos impede de elogiar? A vergonha e o medo. Temos receio de ser mal interpretados, de passar por bajuladores, de gerar soberba no outro, de ficarmos enfraquecidos na relação. Que bobagem!

Reconhecer méritos com sinceridade só aproxima as pessoas. Fortalece os laços e leva a relação para o caminho do amor, da fraternidade, da doçura e da não competição. Há uma bela troca envolvida: um oferece seu reconhecimento e o outro retribui com alegre gratidão.

Elogiar é colocar a caridade em prática. Distribuamos elogios sinceros e alegremos o dia das pessoas à nossa volta.

> Elogiar sem bajular e criticar sem ofender.
> CARLOS JÚLIO citando ARMANDO NOGUEIRA

Prestando auxílio

Uma das falas atribuídas a Jesus de que mais gosto é: "Os sãos não necessitam de médico, mas, sim, os que estão doentes." Brilhante! Claro: quem necessita de nossa compreensão e nosso apoio são os que ainda estão doentes da alma.

É fácil sermos simpáticos com quem nos trata bem. É fácil gostar de quem gosta da gente. Difícil é amar quem nos provoca, quem nos machuca, quem nos desafia e nos dá trabalho. Mas é justamente aí que estão o aprendizado e o mérito. Quando nos deparamos com alguém que nos incomoda, ali se encontra o desafio. O exercício de auxiliar os que não pensam igual a nós é o que mais exige de alguém. Se bem-feito, esse exercício vai nos levar a rever nossas posições, nossas certezas, nossas verdades absolutas; a ver com empatia as dores e dificuldades alheias.

Portanto, fiquemos felizes se convivemos com gente mais "complicadinha". São os inconvenientes, agressivos, invejosos, arrogantes, desagregadores, egoístas, chatos, desarmoniosos, tristes, inconsequentes, derrotistas, duros, autoritários. Eles estão em nosso caminho porque precisam de nós – e, coisa curiosa, porque precisamos deles! Eles nos darão a riquíssima oportunidade de sermos úteis, de praticarmos o bem, de nos aperfeiçoarmos. Se já somos capazes de oferecer nosso apoio, nossa compreensão, nossa inteligência, nossa maturidade, nosso perdão, nosso carinho e nosso ombro amigo, façamos isso. Sejamos o médico da alma de que necessitam.

Mas vale uma observação: tomemos cuidado com a forma de oferecer ajuda; não agridamos, não ofendamos, não humilhemos. Se em nosso caminho houver gente mais atrasada que podemos ajudar, façamos isso com modéstia, delicadeza e carinho, e com a preocupação de não ofender. Acolhimento com dignidade.

A vida é como uma longa escadaria onde quem já subiu um degrau pode e deve ajudar os que estão no degrau abaixo; mas essa mesma pessoa que ajuda o que está abaixo já esteve nesse degrau. Somos os doentes, os atrapalhados, os desajustados e os incômodos na vida dos mais adiantados que nós. O segredo é manter a humildade, para ajudar quem está abaixo sem ofender e para aceitar ajuda de quem está acima, reconhecendo que ainda há muito o que aprender.

A vida não é uma escada rolante: quem fica parado não sobe!

> Procurando o bem para os nossos
> semelhantes, encontramos o nosso.
>
> **PLATÃO**

Interferir no destino do outro?

Uma dúvida recorrente nos que iniciam seus estudos no espiritismo é a seguinte:

Será que posso ajudar meus semelhantes? Não estarei interferindo em seu destino? Ajudando-os e aliviando sua carga, não os estarei prejudicando nas suas expiações? Afinal, se eles têm esses problemas é porque os merecem, fazem parte de sua história e eles precisam enfrentá-los.

Diz o espiritismo que devemos, sim, ajudar e temos no mínimo cinco motivos para isso:

1) Ninguém tem que sofrer. O sofrimento é apenas um alerta a nos exigir mudança e aprendizado.
2) Destino não existe. Nós fazemos nosso caminho caminhando, e nesse percurso ajudamos e somos ajudados. Temos o direito e mesmo o dever de aplainar nosso caminho e o dos outros. Assim fazendo, aprimoramos nossas habilidades e crescemos intelectual e moralmente, e é para isso que encarnamos.
3) Devemos fazer todo o bem que pudermos. *Todo o bem* significa em toda situação e para todos, sem distinguir entre supostos merecedores e supostos indignos de apoio.
4) Podemos fazer o que quisermos para ajudar alguém, mas o que for necessário que aquele espírito vivencie, ele vivenciará. Se for para ele sentir as dores do crescimento, mesmo que o aliviemos em determinada situação, alguma outra prova virá.

5) A ajuda que damos a alguém em situação difícil talvez venha a ser o impulso de que ele precisa para se modificar em seu modo de pensar e ser. Talvez nosso apoio seja o toque necessário para que ele passe a confiar nas pessoas, em si e em seu futuro. Essa demonstração de bondade acalma ao mesmo tempo que anima. Transforma as pessoas.

Todos teremos as vivências necessárias para nosso progresso moral e intelectual, mas ninguém tem que sofrer. O sofrimento só acontece quando é necessário para nos instigar ao pensamento e à ação. Podemos e devemos agir para diminuir nossa dor e as dores alheias. Nossa interferência na vida dos outros, desde que aceita e visando ao bem, é sempre bem-vinda. Temos tudo que é preciso – inteligência, experiência, coragem, ânimo, um corpo, recursos – para ajudarmos a diminuir a carga das pessoas. Esforcemo-nos para auxiliá-las a sair de situações que geram sofrimento e a reencontrar a fé. Isso é caridade. Isso é amar o próximo.

> Julgo meu o bem dos outros, especialmente
> daqueles de cujo bem sou a causa.
>
> Sêneca

Amar os inimigos

Você tem inimigos? Eu diria que todos os temos. Talvez não tenhamos inimigos mortais, mas será que não temos alguns grandes amigos-pequenos inimigos?

Nossos inimigos são alguns daqueles com quem convivemos. São nossos companheiros de jornada. Estão dentro de nossa casa, na nossa família, no nosso trabalho, no prédio em que moramos, na escola em que estudamos, na igreja que frequentamos e em nossa vizinhança. São aquelas pessoas que no dia a dia nos provocam, nos humilham, discordam de nós, nos passam para trás, nos aborrecem e nos incomodam. Mas esses inimigos são também os que nos trazem, em outros momentos, alegria, afeto, consolo, conforto e amizade. São essas pessoas, iguais a nós – também imperfeitas –, que merecem nosso amor. É a elas que se refere a máxima cristã "*Amai vossos inimigos*".

Se nós ainda não conseguimos conviver bem e compreender aqueles que nos machucam, se não conseguimos amar nossos inimigos, ao menos não os odiemos. Se ainda não conseguimos amar a todos, já é alguma coisa não querer mal àqueles que nos magoam.

No estágio evolutivo em que nos encontramos, talvez ainda não consigamos amar quem nos magoa com o mesmo amor que temos por quem nos ama; o amor que temos por nossa mãe, por exemplo. Amar todos indistintamente requer generosidade de sentimento, que por sua vez requer amplitude de visão, e isso, para muitos de nós encarnados na Terra, ainda é o futuro, para quando formos seres mais evoluídos.

Sendo assim, para a maioria de nós, no estágio evolutivo em que nos encontramos, amar o inimigo é apenas buscar com sinceridade compreender (e esta é a palavra-chave: compreender) as motivações e atitudes do outro. É não julgar. É, sobretudo, não desejar o mal a quem nos faz mal. Isso é amar os inimigos.

Compreendamos que todos estamos no mesmo barco; uns sentados na proa e outros na popa, a uma distância mínima um do outro, mas todos no mesmo barco.

Amar o próximo, enfim, significa agir com inteligência, sabendo que o melhor para todos é o bem coletivo e que cabe a cada um de nós construir isso. Somos os responsáveis pelo bem da humanidade. Que tremenda oportunidade!

> A escuridão não pode expulsar a escuridão, apenas a luz pode fazer isso. O ódio não pode expulsar o ódio, só o amor pode fazer isso.
> MARTIN LUTHER KING

Compreensão

Procurar sempre entender o outro, seu ponto de vista e seu comportamento é praticar a caridade. Pais que compreendem os filhos ajudam a formar um adulto equilibrado. Compreender o cônjuge é fundamental para a longevidade do relacionamento. Compreender os colegas aumenta a colaboração e a harmonia no ambiente de trabalho. Compreender os pais nos traz amor e serenidade. Mas, se sabemos de tudo isso, por que não somos mais compreensivos? Talvez porque não compreendamos nem a pessoa mais importante em nossa vida: nós mesmos!

Entendamos, primeiro, como operamos. Quem somos? Por que agimos e reagimos de determinada maneira? O que queremos? E do que precisamos de verdade? Por vezes, o que queremos não é bem aquilo de que precisamos. Nós cultivamos o amor-próprio? Cuidamos de nós mesmos? Estamos atentos ao nosso desenvolvimento espiritual, intelectual e moral? Será que não estamos sendo duros demais com os outros e condescendentes demais conosco? Ou o contrário: não somos duros demais conosco?

Busquemos o autoconhecimento e compreendamo-nos em primeiro lugar. Assim estaremos mais serenos e preparados para sermos compreensivos com os demais. Mas, se ainda estivermos longe de nos aceitarmos e nos entendermos, isso não deve nos impedir de tentar sempre compreender as pessoas que nos cercam. Não deixemos para amanhã o amor que podemos dar ao outro hoje. Esse amor já está fazendo falta.

> Crê em ti mesmo, age e verás os resultados. Quando te esforças, a vida também se esforça para te ajudar.
>
> CHICO XAVIER

O pedido de desculpas

Por que é tão difícil pedir perdão? O problema é o tal do ego. Esse sujeito convencido tem a mania de entrar na frente e atrapalhar tudo. Mas o pedido de desculpas sincero e gentil é um gesto que tranquiliza e conecta as pessoas. Se vier acompanhado de um sorriso acalentador, então, muito melhor!

Depois de trabalhar por um tempo com britânicos, passei a admirá-los ainda mais, sobretudo por sua educação e polidez. Um britânico típico é aquele que, ao receber um pisão no metrô lotado, pede perdão porque estava com o pé embaixo daquele que o pisoteou. Um dia, resolvi que deveria seguir esse bom exemplo e tentar ser sempre muito polido, beirando o exagero. Sabe o que descobri? Que pedir desculpas por qualquer inconveniente, mesmo nas menores coisas e ainda que não tenhamos culpa, é ótimo!

O pedido de desculpas espontâneo acalma os ânimos e nos coloca em posição de amor, não de revide. Se o outro pensava em brigar, pode acontecer de ser totalmente desarmado por esse gesto nobre. Ou não, e por isso devemos estar prontos para uma reação pouco amistosa. Ao reconhecer nosso erro, é preciso também aceitar as consequências de nossos atos. Não é porque pedimos desculpas, mesmo que com sinceridade, que o outro nos desculpará. Não temos controle sobre as reações alheias.

O que cabe a nós é fazer a autoanálise, expressar sinceridade e humildade ao reconhecer que nos equivocamos e agir na reparação do erro sempre que possível. Se não conseguirmos obter o perdão da pessoa que ofendemos, busquemos então compreender sua mágoa, sua dor, sua visão e seus motivos. Se ela não nos perdoa, é porque ainda não consegue, mas certamente um dia conseguirá.

Independentemente de receber o perdão ou não, busquemos promover o bem daquele que foi prejudicado e nos esforcemos ao máximo para não cairmos no mesmo erro no futuro. Para fazer besteira, pensamos pouco e agimos muito. Mas, para fazer o que é bom, pensamos muito e agimos pouco. Invertamos esse comportamento!

> Orgulho não é grandeza, mas inchaço. E o que está
> inchado parece grande, mas não é sadio.
> AGOSTINHO DE HIPONA

Gentileza não é fraqueza

Jesus disse: "Bem-aventurados os mansos e pacíficos."

Nós dizemos: "Se eu for bom, serei comido vivo!"

Um dos maiores medos que assombra o ser humano é o de passar por bobo. Achamos que, se formos muito educados e bonzinhos, seremos passados para trás. Mas ser gentil e delicado nos relacionamentos nada tem a ver com ser bobo. A inteligência não diminui com o uso da gentileza, pelo contrário: é sinal de inteligência ser gentil. É bom para nós e para nossos relacionamentos. Ser gentil faz com que sejamos queridos, e isso nos abre portas. Todos queremos nos cercar de pessoas boas, gentis e generosas.

A gentileza tem um poder enorme! Sejamos pessoas doces, alegres e altruístas e veremos o mundo ao nosso redor se transformar. Outros gentis sob disfarce também se sentirão motivados a assumir seu lado gente boa. E assim, de um em um, o bem prospera e o ambiente melhora.

Que tenhamos a coragem de ver a gentileza como um atributo poderoso e que possamos influenciar mais e mais pessoas com nossos gestos de bondade! Gentileza também é caridade. E, como sabemos, fora da caridade não há salvação. Ter medo de passar por bobo... isso, sim, é ser bobo!

Se queres encontrar amizade, doçura e poesia
em qualquer parte, leva-as contigo.

GEORGES DUHAMEL

Além da obrigação

Outro dia estive no ambulatório do Hospital das Clínicas de São Paulo para doar plaquetas. O movimento no prédio é enorme, com dezenas de milhares de pessoas passando por ali todos os dias. Gente de toda parte, gente que viajou de ambulância por muitas horas, gente com todo tipo de problema de saúde.

Enquanto aguardava na fila para identificação, presenciei o atendimento dado pelo recepcionista, um homem de seus 45 anos. Ele perguntava para onde iria o visitante e então o instruía sobre como chegar ao destino, sempre sorrindo. Olhava as pessoas nos olhos e, com sua voz gentil, fazia alguma pequena graça. Com muita paciência, repetia duas ou três vezes as instruções aos que não entendiam de pronto. Quando chegou minha vez, fui recebido com a mesma gentileza. Fiz questão de elogiar o ótimo atendimento, ao que o recepcionista, um tanto surpreso, agradeceu e disse que fazia apenas sua obrigação.

Aquele senhor tinha tudo para atender mal, pois eram muitas pessoas demandando sua atenção, várias delas com dificuldade de entender qualquer tipo de orientação, algumas até ríspidas, já abatidas pelo cansaço e pela dor. Quantas lhe retribuíam o carinho e o amor que dele receberam? Poucas, se é que alguma; mas ele não estava atrás de gratidão ou reconhecimento.

Saí de lá pensativo: por que será que uns fazem tudo bem-feito e, modestos, acham que apenas fazem sua obrigação, ao passo que outros fazem tudo com má vontade e, arrogantes, dizem que fazer mais não é sua obrigação? Qual dos dois tipos de pessoa é mais feliz? Quem será que tem uma vida mais significativa? Quem enxerga uma humanidade mais digna, mais interessante, mais rica e mais humana? Qual dos dois está aproveitando melhor a vida e a oportunidade da encarnação que a ambos foi dada? Qual dos dois avançará mais rápido em direção à evolução, à paz e à felicidade duradoura?

E quanto a nós: em que perfil nos encaixamos?

> Amo a vida porque tenho estima por mim mesmo e compreendo a honra que recebi ao vir ao mundo para conhecer dele toda a luz e todo o engenho humano.
>
> AGOSTINHO DE HIPONA

Altruísmo

Um dia desses, enquanto escrevia este livro, testemunhei uma atitude linda. Eu descia de carro a congestionada avenida Rebouças, em São Paulo. Na esquina com a rua Cônego Eugênio Leite, uma moça esperava para cruzar a avenida quando começou a chover. Foi uma daquelas típicas chuvas de verão, que vêm de repente. Imediatamente, um vendedor de guarda-chuvas surgiu em socorro da moça, vindo do outro lado da rua. Pelo que vi, não pretendia vender um guarda-chuva para ela. Gentil, apareceu apenas para abrigá-la da chuva enquanto o sinal não fechava. Os dois conversaram, sorrindo, enquanto aguardavam. Depois de atravessarem as duas faixas da larga avenida, despediram-se e o vendedor retomou suas abordagens entre os carros parados no congestionamento.

142

Essa cena me fez pensar. Com seu gesto altruísta, o vendedor perdeu a chance de vender um guarda-chuva justamente quando a chuva começava. Perdeu? Parece-me que ele ganhou mais do que ganharia com a venda: ganhou a alegria de ter ajudado alguém. Essa boa ação, desinteressada, seguramente lhe trouxe uma agradável sensação de bem-estar, e não só a ele e à mulher. A dupla nem me viu, mas a cena me encheu de alegria, conforto e esperança. Vi boas pessoas se relacionando, se doando, sendo gentis... em troca de nada. Outros motoristas talvez tenham presenciado a cena e tido a mesma sensação boa que eu tive. Ou não, porque às vezes estamos tão estressados, tão imersos em distrações como a preocupação com o congestionamento, com o atraso, com os negócios, com a chamada crise, com a chuva, que nem percebemos acontecimentos felizes bem diante dos nossos olhos.

São exemplos como esse, de abnegação e dedicação ao próximo, que nos alimentam a alma e reforçam nossa esperança num futuro melhor. Cuidemos de afugentar as tensões que nos impedem de ver a beleza e a paz ao nosso redor.

Que sejamos mais como o vendedor de guarda-chuvas, praticando o altruísmo e levando bem-estar aos outros, sejam conhecidos ou desconhecidos. A partir de pequenos gestos construímos a paz, mudamos nosso ambiente para mudar o mundo. O poder está em nossas mãos!

> Viver é acalentar sonhos e esperanças, fazendo da fé a nossa inspiração maior. É buscar nas pequenas coisas um grande motivo para ser feliz!
>
> MARIO QUINTANA

Confiança

Em quem você confia?

Confia em seus pais, nos seus filhos, nos seus irmãos, no seu cônjuge? Confia nos seus colegas de trabalho e nos seus vizinhos? Nos clientes e fornecedores? E no governo? E nos políticos? E na polícia, na Justiça e nas igrejas? E em si mesmo, confia? E essa turma toda, eles confiam em você? Podem confiar cegamente? Você nunca mentiu para se beneficiar numa situação? Nunca omitiu? Nunca revelou o segredo de outra pessoa?

Confiança é algo muitíssimo importante. Desconfiar custa muito, não só dinheiro como também a paz de espírito. Por desconfiar da qualidade da escola pública, pagamos escola particular para nossos filhos, se podemos. Por desconfiar dos outros e da eficiência da polícia, colocamos altos muros, fortes grades, alarmes e cercas eletrificadas em nossa casa. Por desconfiar de nossos filhos, ficamos cobrando tudo deles. Por desconfiar de nosso cônjuge, arrumamos tristes brigas. Desconfiamos também da capacidade intelectual e técnica dos que – a nosso convite – trabalham conosco.

Desconfiar nos mantém constantemente tensos, inseguros, ansiosos, preocupados, irritados e angustiados. Desconfiar cansa. Por outro lado, um ato de confiança dá paz e tranquilidade.

Mas como confiar se há tanta gente traindo a nossa confiança? A única forma de confiarmos é indo além do dia a dia. Só mesmo pensando longe, a longo prazo, filosoficamente. Confiemos porque somos humanos. Somos humanos confiando em humanos. E humanos erram, mas também aprendem, se emendam, acertam e amam. Portanto, merecem oportunidade, merecem confiança.

Ao confiarmos em alguém, estamos dizendo que o amamos; que sabemos de suas dificuldades e que elas são as mesmas que as nossas, e que por isso compreendemos.

Mas e se aquele em quem confiamos trai a nossa confiança? Ainda assim confiemos. É como aquele conselho de Jesus: ofereça a outra face. É também o perdoar 70 vezes 7 vezes. O que é uma traição ou uma dor ante o amor que temos pela humanidade? Ao confiarmos, estamos apaziguando, demonstrando que amamos e que há entre nós fraternidade, concórdia, perdão, empatia – e que há um bom futuro.

Confiemos que vale a pena confiar. Não importa se alguma vez nossa confiança não foi correspondida adequadamente. A nossa parte é acreditar no outro; a parte do outro, ele decide, e arca com as consequências de sua decisão. Sempre teremos feito o certo confiando. Confiemos para construir confiança.

> Aquele que não tem confiança nos outros
> não lhes pode ganhar a confiança.
>
> LAO-TSÉ

Simplicidade

É mais fácil ser simples. O simples é genuíno e descomplicado.

Ser honesto, ser sincero, ter apenas aquilo de que se necessita é ser simples.

Ser humilde, ser tranquilo, ser amoroso com os que estão à nossa volta é ser simples.

Ser compreensivo, respeitoso, resignado e caridoso é ser simples.

Então, se ser simples é bom e desejável, por que complicamos tudo? Talvez por acharmos que o que é complexo tem mais valor e é mais nobre. Mas nos enganamos buscando sofisticação fora da simplicidade: ser sofisticado é rebuscado, custoso e dá muito trabalho.

Sejamos simples no falar.

Sejamos simples no que nos é necessário para viver.

Sejamos simples no nosso trabalho.

Sejamos simples nas nossas demandas.

Sejamos simples nos nossos hábitos.

Sejamos simples nos nossos relacionamentos.

Quando todos se mostram simples, todos se sentem à vontade para igualmente ser o que de fato todos somos. Nesse momento, tudo fica mais fácil, pois é genuíno. Deixamos de falar empolado para posarmos de intelectuais. Deixamos de falar de nossos predicados para que pareçamos boas pessoas. Deixamos de competir para parecermos mais capacitados que os colegas. Por não precisarmos pensar em como sermos sofisticados e parecermos superiores, desocupamos nossa mente dessa estafante tarefa de manter as aparências. Assim podemos ser nós mesmos, o que traz tremendo alívio e paz.

Tiremos as máscaras. Sejamos nós mesmos na nossa melhor, mais pura e simples forma: aquela que é original de fábrica. Sejamos o que somos: produto de todas as nossas experiências ao longo de tantas encarnações.

Nesse sentido, dois alertas apenas:

Simplicidade não é grosseria. Sermos nós mesmos, sem máscara, não significa sermos brutos, grosseiros e arrogantes. Vivemos em sociedade. Sejamos simples e genuínos, porém educados.

Simplicidade não é ignorância: não confundamos. Estudemos muito. Aperfeiçoemo-nos sempre. Podemos e devemos ser simples, porém profundos e interessantes.

> É prova de alta cultura dizer as coisas mais
> profundas do modo mais simples.
> RALPH WALDO EMERSON

Felicidade

De onde vem a felicidade? Pode-se comprar felicidade? Temos que conquistá-la ou construí-la? Se eu me mudar para longe de tudo e de todos os que me incomodam, terei felicidade?

O espiritismo nos diz que a felicidade vem do autoaperfeiçoamento, da mudança de si mesmo. Quando começamos a nos analisar, passamos a nos conhecer melhor, identificando nossos talentos e nossas tolices. Vemos onde já avançamos e onde ainda estamos atrasados.

Quando modificamos o que nos faz sofrer e, sobretudo, o que faz os outros sofrerem, passamos a sofrer menos ou até deixamos de sofrer. Ficamos mais felizes com a paz conquistada. Passamos a gostar mais de nós mesmos, de quem somos e do que promovemos: o bem. Por estarmos bem, conseguimos agora também gostar de outros. Menos ocupados com nossos supostos problemas, temos mais espaço, tempo e vontade de ajudar, nos interessamos pelos problemas alheios. Tornamo-nos seres mais tolerantes, apaziguadores; vemos o lado bom das coisas. Por conta de tudo isso, somos pessoas mais agradáveis. Agora os outros também passam a gostar mais de nós, querem estar próximos, interagir e aprender conosco; também têm mais paciência com nossos erros e se dispõem a nos perdoar e a nos ensinar. Há uma troca desinteressada, ou melhor, bastante interessada no bem mútuo.

Como passamos a irradiar paz, alegria, bem-estar, compreensão, diálogo, tolerância e o desejo do bem, por afinidade atraímos gente desejosa do que agora conseguimos oferecer. Quem quer intriga, conspiração e ódio deixa de estar conosco, não nos procura e até nos evita, pois nada tem a ganhar com nosso novo modo de ser.

Esse é, na visão do espiritismo, o caminho da paz e da felicidade. É, mais uma vez, a chamada reforma íntima: progredir aos poucos, raciocinando e trocando comportamentos nocivos por sabedoria e ação no bem. Lógico, eficiente, eficaz e definitivo.

Viver feliz não é mais do que viver
com honestidade e retidão.

Cícero

Coerência

Parte de nosso processo de melhora contínua é a busca por coerência. E isso não significa não mudar de opinião. Se temos uma nova informação, se sabemos mais (e sempre estamos aprendendo), é razoável mudar de opinião. É algo natural e saudável, porque estamos evoluindo.

Ser coerente quer dizer agir de acordo com tudo aquilo em que acreditamos. Além de ser correto e belo, isso nos traz serenidade, a agradável sensação de estarmos sendo realmente fiéis a nós mesmos.

Coerência é difícil, mas importante. Quem é espírita deve ser espírita em todas as suas esferas de vida: no centro espírita, na família e no trabalho, na política e na reunião de condomínio, no futebol, no trânsito e em toda parte.

Mas o que exatamente significa ser espírita? Significa ter valores e visão humanistas ou cristãos. Ser espírita é agir de forma coerente com o que se prega. É esforçar-se sempre, a todo momento, para ser melhor, reagir melhor ou, dependendo da situação, até mesmo não reagir. Não dá para pregar algo e fazer diferente.

Por outro lado, tenhamos calma.

Sim, quem pensa de um modo deve agir como pensa e prega, mas somos seres em evolução. Não mudamos de um dia para outro. Carregamos experiências, traumas, conceitos, preconceitos e hábitos acumulados por muitas encarnações. Então, se ainda não conseguimos adotar um comportamento que sabemos ser correto, acalmemo-nos. Reconheçamos nossa temporária incapacidade, mas não nos justifiquemos nem ignoremos nossa imperfeição.

E não esmoreçamos. Não deixemos para amanhã o esforço para nossa reforma íntima.

Sigamos buscando o bem e a coerência em tudo. Aos poucos, mas de forma contínua, faremos progressos surpreendentes.

> Não se pode fazer o certo em uma
> área da vida enquanto se está ocupado
> em fazer o errado em outra.
>
> GANDHI

Pelo exemplo

O exemplo é um poderoso instrumento de educação. No interessantíssimo livro *O animal social*, publicado em português pelo Instituto Piaget, o psicólogo social americano Elliot Aronson menciona experiências interessantes envolvendo o exemplo como fator de influência social. Uma delas me chamou a atenção:

No vestiário masculino da universidade onde Aronson leciona, há uma placa pedindo que se desligue o chuveiro ao ensaboar-se, para economizar água. Aronson e seus colegas observaram que, a despeito da recomendação, apenas 6% dos alunos desligavam o chuveiro enquanto se ensaboavam. Em seguida, num estudo controlado, combinaram com um estudante que, quando chegasse outro, ele desligaria o chuveiro enquanto se ensaboava. Com esse simples ato, o índice dos que desligavam o chuveiro subiu para 49%.

O estudo seguiu, mas agora com dois estudantes desligando o chuveiro enquanto se ensaboavam. O resultado: 67% dos estudantes passaram a desligar o chuveiro quando percebiam que os dois estudantes haviam seguido a sugestão do desprestigiado aviso. Um índice 11 vezes maior que o original, de 6%! Aí está a força do exemplo: quando a maioria faz, fazemos também.

Se o bom exemplo leva ao bom comportamento de outros, o mesmo pode ser dito do mau exemplo. Somos responsáveis pelo modo como agimos e pelo comportamento que inspiramos.

Agora imagine se a maioria de nós tomar atitudes corretas, como exemplificado no estudo descrito por Aronson. O que acontecerá? O que acontecerá quando cada um de nós buscar compreender as angústias do outro? E quando cuidarmos direitinho, com carinho, atenção e doçura, de nossos familiares? E quando confiarmos uns nos outros? E quando educarmos nossos filhos não por meio de sermões, mas pelo exemplo? Já pensou no que acontecerá na Terra, o que será da humanidade?

Muito podemos fazer para que o planeta se transforme mais rapidamente num Mundo de Regeneração. Outro dia eu soube de uma história interessante que me fez compreender que essa mudança já está acontecendo. Em certa empresa, sem que ninguém pedisse ou placa alguma fosse colocada, alguns funcionários, ao chegar, começaram a parar seus carros nas vagas mais distantes do estacionamento. Faziam isso para que os que chegassem atrasados pudessem estacionar mais perto. Solidariedade. É ou não é um pensamento altruísta? É ou não é a evolução da humanidade acontecendo?

Falas de uma forma, diz alguém, e vives de outra. Essa crítica foi lançada a Platão, Epicuro, Zenão. Todos eles de fato falavam não sobre como viviam eles próprios, mas como deveriam viver. Eu falo sobre a virtude, não sobre mim, e faço censura aos vícios, primeiramente aos meus. Quando puder, viverei como se deve.

SÊNECA

Os problemas não acabam

Então o espiritismo funciona como aqueles comerciais da TV americana que garantem que, com o uso de determinado produto, "seus problemas acabaram"?

Não, não mesmo. Muito pelo contrário. O espiritismo nega a existência de milagres e reforça que todo bem e todo progresso demandam empenho. O que o espiritismo pode fazer por nós é o que toda filosofia faz: trazer esclarecimento. Quanto mais soubermos o que se passa e como lidar com o que está à nossa volta, mais preparados estaremos e maior facilidade teremos nas chamadas situações difíceis. Quanto mais estudarmos os outros e nós mesmos, mais bem equipados estaremos para o que nos acontecer, que já não será inesperado nem parecerá injusto ou castigo, mas será encarado simplesmente como fatos da vida: bons desafios que nos ajudarão a nos tornarmos pessoas melhores.

Os problemas não acabam quando estudamos e praticamos os preceitos espíritas; apenas passamos a compreender que eles são parte benéfica de nossa experiência como encarnados. Com essa postura e com o raciocínio não tão turvado pela ignorância, que atiça o medo, o ódio, a arrogância ou a autopiedade, agimos melhor. Agindo com mais propriedade, os desafios são administráveis e, portanto, menos graves.

Vivemos, literalmente graças a Deus, num mundo complexo que nos exige a cada dia raciocínio e ação. Os problemas não somem, sejamos espíritas ou não. A única diferença é que, mais esclarecidos, lidamos com eles com maior serenidade, os encaramos sem tanto medo, sem tanta dor, sem tanto drama, com mais leveza, alegria e, sobretudo, com mais inteligência. Assim, é apenas natural e lógico que sejamos serenos, saudáveis e felizes. Mérito. Justiça divina.

> Existe muita diferença entre uma vida
> tranquila e uma vida ociosa.
> SÊNECA

Por que uns são mais felizes que outros?

Todos somos igualmente felizes? Não. Por quê? Deus gosta de alguns mais que de outros e por isso os privilegia? Não, pois, se agisse com parcialidade, seria imperfeito e, sendo imperfeito, não seria Deus. A inteligência suprema, causa primária de todas as coisas (a definição de Deus segundo o espiritismo), tem que ser perfeita ou não é Deus. Então por que uns são mais felizes?

Quanto mais evoluirmos e mais sábios nos tornarmos, mais serenos seremos. Mágica? Recompensa? Não, consequência natural. Quanto mais soubermos, mais condições teremos de compreender. E quanto mais compreendermos, mais saberemos lidar com as situações. Enfim, quanto mais soubermos lidar com todas as situações, menos elas nos incomodarão e mais paz teremos. Quanto mais paz, menos desequilíbrio e mais felicidade. Outra vez, apenas consequência natural.

Para ilustrar essa ideia, tomemos um exemplo: pelo mesmo motivo, dois empresários perderam tudo o que tinham. Eles reagirão do mesmo modo? Talvez não. Um deles se desespera, culpa o mundo e Deus por aquilo que vê como uma desgraça e uma tremenda injustiça. O outro, mais esclarecido, tampouco gosta da situação, mas reage de forma mais equilibrada. Ele percebe que outros empresários passaram pelo mesmo e conseguiram se recuperar. Enxerga que há alternativas, como novos mercados, novos negócios ou talvez o retorno ao trabalho como assalariado. Percebe onde errou e reconhece qual parte da responsabilidade lhe cabe pelo fracasso do negócio. Com o trauma da falência, em vez de maldizer Deus e o mundo, ele busca o aprendizado que pode tirá-lo daquela situação. Sabe que, se estudar o que houve e agir na recuperação, sairá da situação mais cedo, melhor, menos sofrido, mais fortalecido e mais sábio.

Repare que o acontecimento foi o mesmo para os dois empresários, mas a reação deles foi radicalmente diferente. Por quê? O que levou um a aproveitar o ensinamento e outro a se revoltar? Resposta: evolução espiritual. Ambos são, como nós todos, espíritos em evolução, mas um é mais evoluído que outro. Ele talvez seja mais experiente, tenha vivido mais tempo, mais encarnações. Ou não. Talvez apenas seja alguém que decidiu crescer em termos intelectuais, morais e, por consequência, espirituais. Decidiu agir, tomar as rédeas de sua vida. Talvez seja até um espirito mais novo que o outro, mas, por vontade própria, aproveitou melhor suas experiências reencarnatórias e com isso encara as dificuldades da vida como desafios que o ajudarão a crescer. Qual dos dois você acha que é mais feliz? Qual sofrerá menos? Qual sairá mais rápido e melhor da situação? Qual desequilibrará menos sua família? Qual será mais amado pelos que estão à sua volta?

Por vezes, achamos que Deus não é justo, pois dá muita felicidade a alguns e nada ou quase nada a outros. Repensemos. Deus é justo. Se uns têm mais tranquilidade, é porque fizeram por merecer. Sabem lidar com a vida que têm, fazendo o melhor que podem, criando um caminho tranquilo e feliz.

Nossa felicidade nos pertence e está logo ali, ao nosso alcance. Mas tem que ser conquistada no dia a dia, construída tijolo por tijolo. E somos nós o pedreiro e o engenheiro dessa construção. Trata-se de uma obra que não podemos terceirizar. Construamos nossa felicidade com alicerces sólidos e esmero no acabamento. Comecemos já, agora mesmo. Façamos parte do grupo dos que são felizes, não por milagre ou graça divina, mas por permissão de Deus e merecimento nosso. A própria consciência de que conquistamos nossa felicidade nos fará mais felizes!

O homem que sofre antes de ser necessário
sofre mais que o necessário.

SÊNECA

PARTE 6
PENSAR, FALAR E AGIR

O poder da influência

Tudo o que trazemos a público tem força: pode ser uma opinião, um e-mail, um post nas redes sociais compartilhando um texto, uma foto, uma música ou um vídeo. Tanto o que falamos quanto o que deixamos de falar causa impacto. Ao expressarmos uma interpretação das coisas à nossa volta, mudamos um pouco o mundo. Dependendo de nossa área de atuação, essa influência é ainda maior.

Pense no poder que tem a fala de professores, pregadores religiosos, jornalistas e todas as pessoas que lidam com o público em seu trabalho. Pense no impacto da obra de artistas como atores, humoristas, músicos e escritores. Mas não é preciso ser artista: qualquer um, por mais modesto e inculto que seja, influencia o mundo quando expressa seu pensamento.

Influenciamos nossa família, nossos colegas ou desconhecidos que tomam contato com nossa visão de mundo, mesmo que por meio de uma breve conversa na rua. Influenciamos mesmo sem intenção de fazê-lo: quantas vezes seu humor não foi alterado, para melhor ou pior, por algo que apenas presenciou ou ouviu?

Um exemplo: se o garçom que nos atende no almoço está alegre e gentil, que efeito gera em nós? E se ele nos atendesse com irritação ou displicência? Geraria o mesmo efeito? Claro que não. O mesmo pode ser dito do nosso modo de falar com o garçom. Isso pode mudar o dia dele e, por consequência, o dia de tantos outros clientes e funcionários do restaurante. Funcionamos em rede, conectados. Nosso humor e comportamento no restante do dia, como trataremos os demais após esse almoço, estarão também influenciados pelo modo como o garçom nos tratou e vice-versa. Estamos contribuindo para um mundo melhor – ou pior – com nossos mais singelos e impensados atos e afirmações.

Sejamos responsáveis. Sejamos emissários do bem e da paz. Abençoemos todos em nossos menores atos. Lembremo-nos do *Orai e* (sobretudo) *vigiai*, e sigamos pelo mundo com a escolha consciente de influenciar positivamente todos à nossa volta.

> Quem luta com monstros deve velar para que, ao fazê-lo, não se transforme também em monstro.
>
> FRIEDRICH NIETZSCHE

A personalidade

Nossa personalidade, nossa opinião e nossos conceitos serão formados e reformados ao longo da vida – que compreende inúmeras encarnações. A cada dia revisamos nossas crenças, aprendemos que aquilo de que tínhamos plena certeza não é tão certo assim. Ou o que era certo e aceito em determinada época deixou de sê-lo com a evolução da humanidade.

Mas, se somos influenciados por tudo e todos, como ter personalidade própria? Como ser autêntico? Resposta: estando atento, raciocinando e tendo coragem. É preciso filtrar o que chega até nós, pois muito do que parece fazer sentido não deve ser aceito como verdade. É preciso incorporar em nosso modo de ser apenas o que de fato julgamos correto, próprio. Isso não é lá muito fácil, já que tendemos, por comodismo, a acatar a opinião alheia, mesmo que por vezes não concordemos completamente. Vivemos preocupados demais com o que imaginamos que pensam de nós, e com isso sofremos. Não raro, mudamos nosso modo de ser para tentar ser como achamos que os outros gostariam que fôssemos. Que confusão!

Você já não fingiu concordar com uma pessoa apenas para ser bem-visto por ela? Já concordou de mentirinha com a opinião de seu chefe ou de alguém que estava muito a fim de conquistar? Pois é.

Se queremos ser nós mesmos, busquemos boas convicções, de fontes nas quais confiamos, e a partir delas formemos nosso conjunto de crenças e valores. Ainda que composto por diversas fontes e influenciado por muitos, ele será só nosso. Esse modo de ver o mundo e com ele interagir moldará nossa personalidade. Ao ler este livro, você está fazendo isso, está avaliando novos conceitos. Aceitá-los ou não é uma decisão sua. Incorporá-los ao seu modo de viver, também.

E de que importa sermos genuínos? Importa para que vivamos bem conosco. Ser autêntico traz conforto e serenidade. E importa também porque somos agentes de mudança. Temos o poder de reforçar ou rechaçar ideias. Sejamos fiéis a nós mesmos, mas com o compromisso pessoal de melhorar constantemente, mudando de ideia sempre que algo melhor nos for apresentado. Sejamos fiéis ao aprendizado e à sabedoria, não à teimosia e à ignorância.

Nenhuma mudança acontece de imediato, mas é preciso começar. Quando já conseguirmos não mais viver ao sabor dos ventos, quando já tivermos controle sobre alguma influência perversa que eventualmente soframos dos outros e do meio sobre nossos pensamentos e nossas ações, sigamos para o passo seguinte: não influenciar os outros e o meio com nossos pensamentos ruins.

Por fim, quando já tivermos cumprido ambas as etapas (não ser influenciado nem influenciar negativamente), cuidemos de nem sequer deixar surgir maus pensamentos em nossas mentes. Difícil? Nem tanto. Demorado? Um pouco. Possível? Certamente. Vale tentar? Muito!

> Proponhamos atos louváveis. Surgirão imitadores.
>
> SÊNECA

Influência espiritual

Assim como somos influenciados pelas pessoas à nossa volta, também o somos por espíritos. Ao desencarnarmos, deixamos o corpo na Terra e seguimos vivendo. Mesmo sem o corpo físico, mantemos nossa inteligência, nosso caráter e nossa opinião. Mantemos nosso jeito de ser, nossas manias e nossas habilidades. Então, se, inconscientemente ou não, influenciávamos pessoas enquanto estávamos encarnados, seguimos agindo assim também após o desencarne. E por que é importante ter consciência de que influenciamos e somos influenciados? Para que assumamos o controle de nossa vida.

Se estamos cercados o tempo todo por espíritos, o que eles pensam também nos influencia, compõe o que pensamos. E essa influência é prejudicial? Não necessariamente. Se no nosso entorno temos espíritos bem-intencionados, inteligentes, esclarecidos, capazes e dedicados ao bem, então a influência que exercem sobre nós há de ser boa. Já se temos em nosso entorno uma turma da pesada, que quer agir na trapaça, no ódio e na violência, sua influência em nosso pensamento será, claro, coerente com esses comportamentos.

Desse raciocínio surgem duas perguntas: como não nos deixarmos influenciar pelos que querem nos cooptar para o mal? Como atrair para o nosso lado a turma do bem?

Temos livre-arbítrio, aceitamos apenas o que topamos aceitar. Se não queremos nos deixar influenciar por pensamentos perniciosos de outras pessoas, nos resguardemos. Fechemos nossas entradas. E que entradas são essas? São nossos pensamentos invigilantes. Se queremos estar a salvo dessa influência, rechacemos os pensamentos que nos incitam ao mal.

Quase a mesma observação vale para a segunda pergunta. Se queremos atrair a turma do bem para o nosso lado, façamos por merecê-lo: cuidemos de nossos pensamentos e ações. Espíritos elevados não perdem tempo: dedicam-se a ajudar a todos, mas prestam mais atenção, por assim dizer, naqueles que de fato querem ser ajudados. Como qualquer um de nós, trabalham com mais alegria e afinco onde conseguem obter melhores resultados para sua missão. E a missão deles é o bem e o progresso da humanidade. Portanto, se queremos atraí-los, lancemos uma boa isca: nosso sincero e ativo compromisso de progredir no bem.

> O segredo não é correr atrás das borboletas. É cuidar
> do jardim para que elas venham até você.
>
> Mario Quintana

Pensamentos, palavras, atos e omissões

Uma de minhas boas lembranças da infância é de quando ia com meus pais à missa. Quando eu era bem pequeno, o trecho da cerimônia de que mais gostava era quando o padre anunciava, em tom solene: "Eis o mistério da fé!" O coroinha então tocava um fantástico aparelho cheio de sininhos e todos ficavam em silêncio. Eu adorava essa parte. Já adolescente, minha parte favorita era quando o sacerdote falava que pecamos por pensamentos, palavras, atos e omissões. Achava – e até hoje acho – essa fala um primor. É isso mesmo! Se cuidarmos de nossos pensamentos, palavras e atos, tudo estará bem!

Pensamentos. A origem de tudo está no pensar. A ordem para a palavra e para o ato vem do pensamento. Então pensemos o bem. Que nossos pensamentos sejam de fraternidade, alegria, solidariedade, confiança, saúde e paz. E, quando um mau pensamento nos ocorrer – e eles ocorrem a todos –, basta expulsá-lo de nossa mente. Somos donos de nossa mente e de nossos pensamentos.

Palavras. Alguém já disse que palavras ferem como um punhal. Que nossas palavras sejam boas; que abençoem, acalmem, incentivem, construam, eduquem, apaziguem. Devemos conter as palavras que maldizem, que semeiam desconfiança, discórdia, medo, angústia, desesperança e animosidade. O livro *Horizontes da fala*, ditado pelo espírito Miramez e psicografado por João Nunes Maia, nos esclarece sobre o cuidado com o que falamos. Bom livro.

Atos. Quantas vezes agimos sem pensar e magoamos alguém? Ou pior: quantas vezes agimos premeditadamente com o objetivo de magoar alguém? Se conseguirmos conter nossos atos agressivos, impensados e egoístas, já haverá um bom progresso. Atos são mais concretos que pensamentos ou palavras, portanto mais imediatamente nocivos. Por serem mais visíveis, talvez seja mais fácil começar nossa correção por eles.

Omissões. Tão grave quanto agir no erro é errar por não agir. Já vimos que somos responsáveis não apenas pelo mal que causamos, mas também pelo mal que, podendo intervir e não o fazendo, deixamos de evitar. Então, sabendo de uma injustiça, façamos alguma coisa. Podendo ajudar, ajudemos.

A pergunta 642 de *O livro dos espíritos* nos leva a refletir sobre a importância e a extensão da ação no bem:

> – *Será suficiente não se fazer o mal para ser agradável a Deus e assegurar uma situação futura?*
> – *Não; é preciso fazer o bem no limite das próprias forças, pois cada um responderá por todo o mal que tiver ocorrido por causa do bem que deixou de fazer.*

> As palavras de amizade e conforto podem ser
> curtas e sucintas, mas seu eco é infindável.
>
> MADRE TERESA DE CALCUTÁ

Cuidando de nosso pensar

Cuidamos de nossa vida afetiva, da vida profissional, da vida familiar, do lazer, das nossas obrigações como cidadãos... Cuidamos de tudo, menos de nosso pensamento, de nosso panorama mental.

Panorama mental é o que povoa nossa mente. São as estradas por onde nosso pensamento se desloca. O que você prefere: andar por uma linda e segura via arborizada numa manhã ensolarada ou por uma estrada esburacada, cheia de curvas e sem sinalização numa noite de chuva torrencial? De forma análoga, devemos atentar aos caminhos que nosso pensamento percorre.

Achamos que temos total controle da situação, mas isso é impossível quando andamos por terrenos acidentados, mal sinalizados, cheios de surpresas e perigos. Na verdade, nessas estradas nosso controle é muito pequeno. Se nosso panorama mental é uma estrada perigosa que nos deixa sempre tensos, ansiosos, angustiados, cansados, desconfiados, desesperançados e agressivos, como você acha que serão nossas reações aos fatos da vida?

Pensar bem, de forma equilibrada e isenta, é uma questão de saúde. E isso se consegue por escolha e treino. Quem tem paz escolhe as estradas por onde anda seu pensamento.

Dirige com calma, evitando rotas perigosas. E cuida constantemente da manutenção de suas estradas: tapa os buracos que surgem após os temporais antes que se transformem em perigosas crateras.

Não apenas podemos como devemos decidir por onde vão nossos pensamentos. Essa mudança, que, assim como muitas outras, depende de atenção, vontade e exercício, é fundamental na busca da paz interior e da paz coletiva.

> Se olhares, durante muito tempo, para um abismo,
> o abismo também olha para dentro de ti.
>
> FRIEDRICH NIETZSCHE

O que sai de nossa boca

Muitas injustiças poderiam deixar de ser cometidas todos os dias se apenas tivéssemos mais cuidado com o que falamos. A interpretação de algo feito, visto, dito ou, pior, algo apenas imaginado e que foi tomado por verdade, pode virar uma ação injusta e com consequências terríveis. Um comentário aparentemente inocente pode acabar com uma carreira, uma amizade, uma relação de confiança ou um casamento. Melhor nos calarmos se não tivermos comentários que promovam o bem.

Por outro lado, as palavras que saem de nossa boca também podem, claro, produzir maravilhas. Um bom conselho anima, abre horizontes, traz esperança. Quantas vezes você estava mal, meio desanimado, e alguém lhe falou algo que lhe permitiu enxergar o outro lado da história? Quantas vezes uma declaração abriu seus horizontes e o fez perceber algo óbvio? E não estamos falando apenas de falas doces e mansas, consoladoras, mas também de palavras justas e adequadas, que por vezes são mais incisivas.

O próprio Jesus teve falas fortes. Lembremo-nos de que certa vez ele rechaçou os vendedores que invadiram o templo com a algazarra de seu comércio de quinquilharias supostamente santas. Expulsou-os de lá de modo bastante firme, pondo ordem na casa.

Nossas palavras não devem ser agressivas, não têm que machucar. Nossa fala tem que ser correta, justa, amparada na lógica e no bem. E também, é claro, devem ser sempre adornadas pelo amor. É possível alertar alguém sobre um comportamento inadequado sem repreender, sem perder a serenidade.

Em tempo: é interessante observar que Jesus Cristo condenou o comércio das quinquilharias ditas sagradas há mais de 2 mil anos, porém hoje, se visitarmos templos e santuários em qualquer parte do mundo, veremos essa prática. E mais: veremos esses objetos agora com o rosto e o corpo justamente dele, o próprio Cristo, que condenou o costume! Dois mil anos não bastaram para que compreendêssemos que o que importa são nossa mente e nosso comportamento.

Nossa postura é o que santifica nossos atos e nos protege do mal, não o amuleto fabricado para faturar com os supersticiosos. No espiritismo não há amuletos, imagens ou objetos de devoção de qualquer tipo.

> Que tuas palavras ilustrem teu comportamento,
> e teu comportamento, tuas palavras.
>
> WILLIAM SHAKESPEARE

O modo de falar

O tom de voz, as palavras usadas, o sorriso ou a carranca, o olho no olho ou não, tudo isso influencia o resultado do que dizemos. Somos responsáveis por tudo o que fazemos ou causamos, de bom e de mau. Somos responsáveis pelo amor ou pelo desamor que estimulamos com nossas palavras e nosso modo de falar.

Como falamos? Somos atentos ao modo como nos expressamos? As pessoas se sentem acolhidas ou agredidas quando nos ouvem? Consolamos, acalmamos, animamos e damos esperança aos outros com nossas palavras? Ou ainda não conseguimos agir assim?

Achamos que temos dias melhores e dias piores, momentos em que estamos calmos e alegres, outros em que estamos irritadiços e impacientes. Mas o que difere a pessoa já comprometida com o próprio desenvolvimento e com o bem coletivo é justamente o cuidado com seus pensamentos e com a expressão deles por meio de palavras, olhares e gestos. Ela já percebeu o poder e a responsabilidade que temos para com o ambiente e as pessoas à nossa volta. Sabe que, sim, depende dela a harmonia e a paz. Entende que, na verdade, não existem dias melhores ou piores. Todos os dias serão ótimos se nos propusermos a ser ótimas pessoas para com todos.

Coisa curiosa é como somos ansiosos por falar. Todo mundo tem um palpite e quer impor sua opinião. Por que temos que dar uma opinião sobre tudo, em todos os momentos e em todas as conversas? A explicação para isso está em nosso gigantesco ego. Parece que, se não dissermos algo sobre o assunto, seremos desconsiderados. Nosso ego inflado nos faz achar que temos a visão mais clara e a única verdadeira. Frequentemente falamos com muita propriedade, com ar de total autoridade, sobre algo que desconhecemos.

Quer dizer que não podemos alertar uma pessoa sobre algo que sabemos melhor ou pensamos diferente? Claro que podemos. Devemos. É assim que as conversas ficam melhores. Mas sabemos mesmo do que estamos falando? Será que a fala vai de fato ajudar? É justa a nossa observação? Evitará um mal maior? Se não tivermos certeza, talvez seja melhor nos calarmos. Quantas vezes já nos arrependemos de algo que "dissemos sem pensar"? Só que isso inexiste. Tudo o que dizemos é, obrigatoriamente, pensado. Usemos nosso cérebro mais que nossa língua. Sejamos cuidadosos, pois somos responsáveis por tudo o que fizermos, dissermos e pensarmos.

> Abençoado o homem que, não tendo nada a dizer,
> abstém-se de dar provas do fato com palavras.
>
> George Eliot

Silenciar a mente

Em muitos centros espíritas vemos um quadrinho na parede com os seguintes dizeres: "O silêncio é uma prece." O silêncio auxilia a concentração, é bom para a oração. Então, quando formos a um centro espírita ou a algum lugar dedicado à reflexão, mantenhamos e aproveitemos o silêncio.

Calar a mente não é fácil, mas é preciso. Por vezes deixamos nossa mente feito cavalo descontrolado, em disparada. Criamos situações em nossa cabeça. Imaginamos as discussões que poderemos ter, tecemos toda uma argumentação que usaremos contra alguém, desenhamos o embate em nossa imaginação. Brigamos vivamente, só que tudo dentro da nossa cabeça. Ou criamos complexas teorias da conspiração: o mundo contra nós. Por que perder tempo com suposições inúteis e inquietantes, situações que muitas vezes nunca ocorrerão?

Somos donos de nosso destino, nosso corpo e nossa mente. Cuidemos de nosso pensar. Acalmemo-nos. Ordenemos nossos pensamentos e nosso modo de pensar. Dirijamos nossa mente apenas para o bem. Equilibremo-nos. Que tal silenciar a mente e criar belos quadros mentais? É muito mais agradável e saudável.

> Escuta e serás sábio. O começo da sabedoria é o silêncio.
>
> Pitágoras

O silêncio omisso

Se falar sobre o que não sabemos pode causar estragos, o oposto também é verdadeiro: não falar sobre o que sabemos pode causar grande mal. Pense numa situação qualquer no seu trabalho, em sua casa, na rua. Quando você percebe que há injustiça, erro ou mesmo má intenção numa conversa ou numa discussão, o que faz? Interfere? Expõe sua visão dos fatos?

Se avaliamos que nossa visão não está embaçada pelo viés da parcialidade, deveríamos intervir. Se temos alguma segurança no que percebemos e que outros não percebem, e se isso pode evitar uma injustiça, devemos nos expressar. Por vezes, muitos pensam o mesmo, estão incomodados com a injustiça que se presencia em determinada situação, mas ninguém tem coragem de tomar a iniciativa de se opor ao que, supostamente, a maioria pensa. Talvez o que se pensa ser a posição da maioria seja apenas a visão de um ou alguns mais barulhentos. Quando os confrontamos – com delicadeza, inteligência e fatos –, outras pessoas, sentindo-se encorajadas e apoiadas, podem vir a se manifestar também.

É importante fazer o contraponto com tato e respeito, mas também com firmeza. Gandhi, que libertou a Índia do jugo inglês, exemplifica com perfeição esse modo de agir: firmeza de princípios, mas sem violência, apenas diálogo e mobilização.

Linchamentos já foram evitados porque alguém teve a coragem de se manifestar de modo diferente da aparente maioria. Um excelente exemplo disso nos deu Jesus no episódio do apedrejamento de Maria Madalena. Que fez ele? Calou-se? Ignorou-a? Isentou-se da responsabilidade? Ou gritou e conclamou todos à ação violenta? Nem uma coisa nem outra. Quando estavam prestes a apedrejar Madalena, Jesus, calmamente, desenhando palavras na areia do chão, disse somente: "Que atire a primeira pedra aquele que estiver sem pecado."

Sábio e equilibrado, Cristo apenas expos seu ponto: quem somos nós, que tanto erramos, para condenar o erro de outro de nós? Jesus não fugiu à sua responsabilidade para com seu semelhante. Não se uniu à voz da massa, o que seria mais fácil, confortável, seguro... e covarde. Não hesitou por ser diferente de todos. Não se calou diante da barbárie, mas tampouco se exaltou. Não temeu ser alvo da revolta de todos. Sereno, simplesmente foi fiel a si mesmo, a sua visão e a seu papel como cidadão e membro da humanidade. Usando sua sensibilidade, inteligência e doçura, apenas com um argumento absolutamente racional, que tocou a todos, conquistou o apoio unânime dos que antes estavam excitados com a possibilidade de violência.

Que possamos seguir seu exemplo diante das injustiças, mesmo se tivermos que ir contra a voz corrente.

> O sábio nunca diz tudo o que pensa, mas
> pensa sempre tudo o que diz.
>
> Aristóteles

Autoengano

O precioso livro *Leadership and Self-Deception*, do Arbinger Institute, discorre sobre aquele que talvez seja um dos maiores obstáculos à nossa felicidade: o autoengano.

Cometemos o autoengano quando justificamos, sem razão, nosso modo de ser e agir. Em vez de reconhecermos nosso erro e agirmos diferente, apenas nos justificamos. Achamos uma saída que nos dê algum conforto para continuar incorrendo nos mesmos equívocos. Preferimos nos enganar.

É o empresário que sonega impostos e se justifica dizendo que a carga tributária é muito alta. É o médico que não dá recibo da consulta para não pagar imposto dizendo que o dinheiro dos impostos é mal empregado. Somos nós que fofocamos nos corredores do local de trabalho e nos justificamos dizendo que não fomos nós que criamos tal história, apenas estamos contando algo que ouvimos. É o assediador que se justifica dizendo que a mulher usava roupas provocantes. É o funcionário público que desvia dinheiro e não se julga ladrão pois, como ganha mal, está apenas complementando seu salário.

O autoengano nos atrasa. Fabricamos uma justificativa esfarrapada porque queremos continuar a agir mal mas não queremos sentir o peso de reconhecermos nossa falha de caráter. No fundo, sabemos que estamos errados. E o autoengano é como uma pequena pedra no sapato: incomoda. Com o tempo, essa pequena pedra se torna maior, até que fica muito pesada para carregarmos e nos esmaga. É fundamental, então, cuidar dela e expeli-la enquanto é ainda pequena.

Ao fazermos algo – ou mesmo antes disso, ao pensarmos em fazer algo –, se soar o alarme interior nos alertando que estaremos agindo mal, paremos de imediato. Refutemos a ideia. Não nos justifiquemos. Não joguemos a culpa no outro. Sejamos honestos conosco. Quem nos alerta para o erro é nossa consciência. Essa sábia e prudente voz são nossos amigos do plano espiritual, gente que nos quer bem e torce por nosso sucesso. Ouçamos os conselhos desses bons amigos. Ouçamos nossa consciência.

Sábio é aquele que conhece os limites da própria ignorância.

SÓCRATES

Conhece-te a ti mesmo

"Conhece-te a ti mesmo": aí está o segredo do bem-estar, da paz e da felicidade. Esse aforismo grego é a lupa que nos mostrará a pedrinha incômoda antes que vire pedregulho ou uma pedreira inteira.

Por meio da auto-observação zelosa, nos conhecemos e podemos agir em nosso benefício. Mas para isso é fundamental honestidade de princípios. Façamos conosco um trato: sejamos honestos em nossa autoavaliação. Não nos justifiquemos; ajamos. Não sejamos condescendentes com nossos erros.

É muito fácil (e fraco) justificar nossos erros comparando-nos com os outros ou explorando a situação. É o velho "Eu faço, mas quem não faz?" ou ainda o "Os fins justificam os meios". Péssimo! Agindo assim ficaremos praticamente estacionados em nossa evolução moral e mesmo intelectual. E junto dessa estagnação ficam conosco todos os nossos problemas, tudo o que nos machuca, tudo o que nos prejudica e entristece, assim como aos outros.

Por que perder esse tempo? Por que nos iludirmos? Sigamos em frente! Coragem!

Conforme formos avançando em nosso melhoramento, mais felizes seremos. À medida que conseguimos modificar o comportamento que nos fazia mal, sentimos um alívio, uma grata sensação de conquista, uma alegria íntima. E assim, aos pouquinhos, um aperfeiçoamento após outro, vamos evoluindo. Vamos sofrendo menos, enxergando tudo com clareza. Afinal, a essência de estarmos aqui é o autoaperfeiçoamento.

> Sou a única pessoa no mundo que eu
> gostaria de conhecer a fundo.
>
> Oscar Wilde

Evolução humana

O espiritismo nos diz que estamos melhorando, tanto como indivíduos quanto coletivamente. Para muitos, é difícil concordar com essa afirmação. Quando veem as barbaridades cometidas hoje em dia, não creem que a humanidade esteja evoluindo. Mas está.

Para compreender o aprimoramento moral do planeta é preciso ampliar a visão. Se levamos em conta apenas os indícios de nossa inferioridade, fica parecendo mesmo que não estamos progredindo. Mas existem diversos exemplos da melhora no comportamento humano ao longo dos séculos ou mesmo das décadas.

Hoje não ingerimos carne humana, mas o canibalismo foi prática corriqueira em algumas culturas. Hoje não se pode fazer sacrifício humano, mas vários povos ofereciam virgens ou crianças, que eram assassinadas para agradar aos supostos deuses. Hoje o estupro é crime hediondo, mas já foi uma prática comum e aceita nas guerras, por exemplo. A escravidão foi abolida, mas há pouco mais de 100 anos era permitido comprar uma pessoa e fazer dela o que bem se quisesse.

Cada vez mais nossas leis e nosso senso de moral nos impedem de agir na barbárie.

Peter Diamandis, empresário e cofundador da Singularity University, na Califórnia, em entrevista para o jornal *Folha de S.Paulo* de 25 de junho de 2017, corrobora com dados interessantes a melhora da humanidade. Ele diz que, em comparação com o século passado, o preço da comida foi reduzido à 13ª parte do que era; que as chances de termos uma morte violenta são 1/500 do que eram na Idade Média; e constata que, graças à tecnologia de comunicação, ao poder da informática e a ferramentas nas áreas de biotecnologia, inteligência artificial e robótica, o poder de solucionar problemas tem se deslocado das grandes corporações e dos governos para os indivíduos empreendedores.

Para ficar ainda mais claro que evoluímos, basta fazer cinco perguntas sobre nosso futuro:

1) Você acha que continuaremos abusando de álcool, drogas, cigarro e remédios?
2) Você acha que continuaremos a nos alimentar dos cadáveres de animais?
3) Você acha que continuaremos a humilhar os outros com o chamado bullying?
4) Você acha que continuaremos a julgar determinadas etnias ou nacionalidades melhores que outras?
5) Você acha que seguiremos poluindo fortemente as terras, as águas, o ar e o silêncio?

Se você acha que alguns desses atestados de nosso atraso seguirão acontecendo, então vale pensar em perspectiva, comparando com nosso passado. Façamos outras cinco perguntas sobre o futuro. Mas agora como se estivéssemos em momentos diferentes do passado perguntando sobre o momento presente:

1) Estamos na Roma Antiga. Você acha que continuaremos a nos deleitar com gladiadores matando uns aos outros na arena?

2) Estamos na Europa do século XV. Você acha que seguiremos torturando e queimando vivos os que têm religião diferente da nossa?

3) Estamos no século XVII. Você acha que continuaremos resolvendo nossas divergências a bala, em duelos?

4) Ainda no século XVII. Você acha que seguiremos no direito de possuir pessoas, os escravos?

5) Estamos em meados do século XX, no Brasil. Você acha que continuaremos absolvendo pessoas que matam em nome da honra?

Percebe como as coisas mudam? Evoluímos. Mas nossa evolução é paulatina. No esporte, por exemplo, deixamos de lado o sangue da espada dos gladiadores, mas ainda nos deliciamos com o sangue do MMA. Segue péssimo, mas é uma evolução: ao menos já não se mata mais o adversário. No futebol, as torcidas ainda são bastante agressivas: gritos de guerra imperam, ira e xingamentos são lançados contra o time adversário. Lentamente, com o tempo, isso também mudará.

Quando estamos encarnados, muitas vezes percebemos apenas o momento histórico que estamos vivendo e não o enorme ganho que temos conquistado ao longo do tempo. Claro que ainda há inúmeras frentes de evolução no que diz respeito ao comportamento humano. Ainda somos por demais atrasados, preconceituosos, maniqueístas, passionais e violentos. Certamente ainda são cometidos muitos crimes e injustiças, mas já houve mais. E haverá cada vez menos conforme cada um de nós for caminhando em seu desenvolvimento moral, espiritual e intelectual. Essa melhora, se bem observada, não deixa espaço para o pessimismo, e sim para a esperança.

Lembremo-nos sempre de que a natureza não dá saltos. Um passo de cada vez; é assim que se caminha.

> Nada no mundo é estacionário, nem mesmo o universo. Por que o homem deveria sê-lo?
> HAVELOCK ELLIS

Mudando o mundo interior

Não podemos mudar o mundo, mas podemos ajudar nas pequenas transformações. Não podemos mudar o outro, mas podemos mudar a nós mesmos. E nos modificando, agindo em nosso modo de ser, chamamos a atenção do outro. Ao agir adequadamente, no bem, estamos configurando um novo código de conduta. O outro, ao nos ver agindo de forma diferente, percebe que é possível ser diferente. Baixando a guarda e amando, ele não se sente avaliado nem ameaçado e também baixa a guarda e ama. É como na natureza: ao se sentir ameaçado, um animal herbívoro aparentemente dócil entra em alerta máximo e, acuado, ataca. Não havendo ameaça, ele se acalma e pasta placidamente.

Quando um ou alguns mudam o padrão do agir, outros sossegam e também, mais cedo ou mais tarde, se modificam. A vida melhora. Tudo fica mais leve. Os problemas não desaparecem num passe de mágica, pois mágica e milagres não existem, mas se tornam mais simples, menos graves, de mais fácil compreensão e, por consequência, de mais fácil solução ou aceitação.

E essa é a chave para a mudança do mundo. Nada de armistícios, nada de encontro de dirigentes mundiais pela paz, nada de ONGs, ainda que tudo isso tenha seu valor: tudo começa pela modificação do comportamento individual (isso, sim, o mais importante).

Simples? Simplíssimo! Fácil? Até que é, quando se compreende a importância e os benefícios dessa medida e se assume o compromisso consigo mesmo. Rápido? Não, mas para que a pressa? Custoso? Nem um centavo. Acessível? Sim, do mais culto ao mais iletrado, do mais rico ao mais pobre, do religioso ao agnóstico. Gratificante? Enormemente.

> Tente mover o mundo – o primeiro
> passo será mover a si mesmo.
>
> PLATÃO

Observar, raciocinar, aprender, aplicar

Se a base da filosofia espírita são os livros de Allan Kardec, seu fundamental complemento é a observação da vida.

O frequentador de um centro espírita é estimulado a *observar* o próprio comportamento e o dos que estão à sua volta. Segue-se o *raciocínio*, que relaciona o que foi observado com o que foi aprendido pelos exemplos de Cristo e com o que o espiritismo nos esclarece. Desse raciocínio deve sair algum *aprendizado*, alguma conclusão interessante ou alguma determinação que, dependendo de nossa força de vontade, será *aplicada* ao nosso modo de ser.

É assim que nós, espíritas, agimos ou devemos agir. Observar, raciocinar, aprender e aplicar. Mas esses quatro passos, ainda que bem simples, guardam certas armadilhas, para as quais devemos estar atentos:

Observar. É fácil passar a vida distraído, sem observar o que de fato importa. A genuína e honesta observação nos mostra nossas imperfeições, e isso, para alguns e por vezes, dói.

Raciocinar. Devemos evitar o raciocínio torto, que visa a justificar nossos erros.

Aprender. Para aprender, é preciso, antes, compreender. É preciso também, usando de discernimento, de fato aceitar o que não se pode mudar e ter determinação para agir quando a mudança é possível.

Aplicar. Tendemos a aplicar *no outro*, e não em nós mesmos, o que achamos correto.

Atentemos para os quatro passos e estaremos protegidos das armadilhas em nossa trajetória.

Os progressos obtidos por meio do ensino são
lentos; já os obtidos por meio de exemplos
são mais imediatos e eficazes.

SÊNECA

Reconstruindo uma relação abalada

Quem já reformou a casa sabe que é difícil. Mas não tem jeito: se a construção está desgastada, com rachaduras e infiltrações, é preciso armar-se de paciência e começar logo a reforma antes que algo desabe sobre nossa cabeça. Com os relacionamentos não é diferente: melhor cuidar da reforma logo que a primeira trinca aparecer porque ela pode virar uma rachadura rapidamente e, tal como a casa, ameaçar desabar sobre nós. Eis alguns passos que poderão ajudar nessa reconstrução:

1) Assim como na reforma de uma casa, para recuperar uma relação abalada precisamos primeiro fazer um levantamento do que foi danificado. Onde estão os pontos a serem consertados? O que aconteceu para gerar aquela rachadura ali? O que levou aquele teto – que parecia sólido – a ceder? Onde erramos na construção – ou na manutenção – do edifício?

2) O segundo passo é verificar se estamos mesmo dispostos a investir nessa reforma. Se nos custar ou demorar mais do que pensamos, toparemos seguir reformando? Estamos preparados para essa empreitada tão trabalhosa quanto desgastante? Sem esse compromisso pessoal, a reforma não será concluída.

3) Tomada a decisão pela reforma, será preciso nos equiparmos. De que materiais precisaremos? Qual será a postura ideal para consertar o estrago feito na relação? O que devemos oferecer para tapar os buracos que abrimos?

4) Então sigamos modestos e confiantes para consertar o que for preciso, tendo em mente que uma emenda su-

ficial não resolve. Façamos trabalho de profissional. Só se mergulharmos fundo na raiz do problema conseguiremos uma solução boa e, quem sabe, definitiva para ele.

5) Como numa reforma, nem tudo ocorre como o previsto. Num relacionamento, encontraremos visões diferentes, mágoas e sentimentos ainda fortes, que podem ser barreiras na reconstrução da relação. Devemos tentar compreendê-los e lidar gentilmente com eles, adaptando o projeto para convivermos em harmonia com o que não nos agrada. Flexibilidade, humildade, compreensão, boa vontade, paciência e resignação são as chaves para retomar uma relação danificada.

6) Por fim, antes de concluir a reforma, pensemos nos reforços que queremos fazer na estrutura para que a relação dure mais e em melhores condições. E também consideremos os adornos que podemos incluir para melhorar o ambiente, deixando-o mais belo e agradável.

Se mesmo assim a reforma não ficar exatamente como queríamos, paciência. Sempre sonhamos muito alto, e isso é bom, mas nem sempre podemos atender a nossas expectativas. Às vezes é preciso se contentar com o que é possível no momento e, se for o caso, retomar a reforma em outra ocasião. Afinal, reformas, todos sabemos, nunca acabam!

O sábio procura a ausência de dor, e não o prazer.

ARISTÓTELES

PARTE 7
CUIDAR-SE

Saúde do corpo

O conceito de saúde é cada vez mais holístico. Saúde, hoje em dia, compreende corpo, mente e alma.

Quanto ao corpo, o espiritismo nos esclarece que nosso invólucro material tem prazo de validade: deve durar até o momento de nosso desencarne. Ele nos é dado por empréstimo (pois será devolvido à natureza quando morrermos) para que tenhamos condições de experimentar e agir adequadamente em nossa jornada na Terra em busca de sabedoria. E precisamos zelar para que chegue até o momento do desencarne em boas condições.

Hoje em dia, todos temos uma boa noção do que faz bem e do que faz mal ao organismo. Ou alguém não sabe que cigarro, drogas, álcool, sedentarismo e má alimentação prejudicam a saúde? Que exercícios físicos e dieta balanceada aumentam a expectativa de vida?

Quando trabalhamos em excesso e descansamos pouco, ou quando não fazemos nada e descansamos muito, estamos comprometendo a saúde de nosso corpo. Se comemos demais, fumamos, abusamos do álcool, usamos drogas ou machucamos nosso corpo de qualquer outro modo, estamos destruindo nosso principal instrumento, agindo em desarmonia com as leis divinas. É o chamado suicídio involuntário: quando, sem intenção, antecipamos a morte por causar danos ao nosso organismo. O corpo não aguenta ser tão maltratado e morre antes do prazo que seria adequado à nossa encarnação. Com a falência prematura da matéria, há o desencarne, e o espírito perde, assim, a chance de aprender conceitos que seriam valiosos e necessários ao seu desenvolvimento.

Temos a obrigação de cuidar de nosso corpo, mas sem apego, paixão ou vaidade. Nosso corpo sem dúvida é valioso e deve ser tratado como um importante viabilizador de crescimento moral, intelectual e espiritual. Apenas isso. Tudo isso.

Cuidamos do que amamos. Amamos do que cuidamos.

LEONARDO BOFF

Saúde mental

Num passado não tão distante, pessoas que tinham alguma sensibilidade ou distúrbio espiritual eram tomadas por doentes mentais. Eram internadas em manicômios porque escutavam ou viam seres que ninguém mais escutava nem via, porque conversavam com eles. Muitos desses considerados loucos eram apenas médiuns. Interagiam com pessoas como você e eu, só que desencarnadas: espíritos. E por vezes esses médiuns ficavam mesmo fora de seu juízo, por conta de obsessões que, não sendo compreendidas, não eram adequadamente tratadas.

A saúde mental depende de constante atenção e asseio dos pensamentos. É claro que, quando o caso é de fato patológico, o tratamento médico é indispensável. Mas quantos de nós não nos deixamos levar para o perigoso caminho do desequilíbrio mental por fraqueza ou, sobretudo, ignorância?

A diferença entre um ser dito normal e um desequilibrado é pequena. Pensamentos descuidados nutridos por desconfiança, inveja, tristeza, ciúme, desejos exagerados, ódio, maniqueísmo e pelas mais diversas paixões podem nos tirar do eixo. O que fazer, então?

O espiritismo nos recomenda a atenção. Façamos uma autoanálise criteriosa e prestemos atenção a quem somos, o que pensamos, o que falamos, como agimos. Busquemos entender por que cometemos atos ruins, por que cultivamos pensamentos negativos, por que nos aborrecemos à toa e por que ficamos agressivos. Quando cuidamos de nos observar, quando nos avaliamos com honestidade e reconhecemos nossas angústias, reduzimos os riscos de cairmos em desequilíbrio.

Conheçamos e respeitemos a nós mesmos. Não nos enganemos. Não nos entreguemos à ilusão. Assumamos o compromisso de dirigir a nossa vida. O autoconhecimento é, na verdade, o caminho para o autoaperfeiçoamento, e o autoaperfeiçoamento é o caminho rumo à evolução moral e intelectual. Lembremo-nos sempre do famoso aforismo grego em Delfos: "Ó homem, conhece-te a ti mesmo e conhecerás os deuses e o universo."

> Homem poderoso é aquele que tem
> poder sobre si mesmo.
>
> SÊNECA

Saúde espiritual

Quando vigiamos nossos pensamentos e atos, quando buscamos pautar nossa vida pela lógica e pela justiça, quando nos cercamos de pessoas que buscam o bem e cultivamos um ambiente harmonioso, estamos cuidando de nossa saúde espiritual. Somos o que pensamos e, por similaridade, atraímos o que somos. Para que permaneçamos equilibrados e protegidos de influências negativas, precisamos nos manter atentos e, sobretudo, comprometidos com o bem.

Para ajudar nesse exercício constante, muitos de nós recorrem à prática religiosa. Ninguém é obrigado a ter religião, é claro, mas é fato que, quando nos reunimos em um local cujo objetivo é falar de Deus e de amor, quando nos reunimos para pregar a bondade e a caridade, educar e inspirar, saímos mais fortalecidos para os desafios do dia a dia, emanando confiança, fé, boa vontade e alegria, e, consequentemente, atraindo apenas o que nos é benéfico. Quem não frequenta um lugar desse tipo, porém, pode encontrar a paz onde estiver, por meio da reflexão e da prece.

Um espírito saudável é um espírito sem amarras, que não está preso ao ódio, à desconfiança, ao pesar, ao remorso, à saudade, à angústia e à posse. É um ser livre para viver a paz, o bem, o belo e o amor. Tem sossego e tempo para se dedicar ao aprimoramento de si mesmo e ao auxílio ao próximo.

Este livro, modestamente, tem a pretensão de nos ajudar a cuidar melhor de nossa vida. E esse zelo inclui a manutenção da saúde do corpo e da mente, mas, acima de tudo, da saúde espiritual. Corpo, mente e espírito, harmonizados, são um só. Busquemos essa harmonia.

Às vezes, na vida, nos sentimos acorrentados,
sem sabermos que temos a chave.

PLATÃO

Álcool, fumo e outras drogas

Todos sabemos que as drogas, legalizadas ou não, fazem muito mal ao corpo. Mas o que talvez nem todos saibam é que, além de prejudicar o corpo, as drogas podem nos trazer companhias nada agradáveis.

A literatura espírita cita casos de dependentes de álcool ou drogas em que se nota, junto do encarnado dependente, outros tantos desencarnados igualmente viciados. Eles como que grudam no encarnado e o incentivam ao consumo dessas substâncias. Os desencarnados não têm mais o corpo físico como instrumento, mas, quando o encarnado faz uso desses entorpecentes, eles conseguem absorver algo: não a droga em si, mas parte da sensação, do êxtase, que os faz delirar como quando estavam na Terra e consumiam a substância intoxicante.

Com essas companhias incentivando o encarnado a consumir mais e mais, e o tempo todo, fica mesmo difícil largar o vício. Nesses casos, além do tratamento médico, pode ser útil um processo de desobsessão. Mas também aí o encarnado tem que cooperar. Ele precisa querer largar o vício e mudar de vida. Sem isso, será praticamente inútil tentar a desobsessão. O obsessor dependente de drogas pode até se convencer de que deve se tratar, mas, se o encarnado continuar no vício, outros tantos viciados desencarnados a ele se juntarão. Afinidade é tudo.

Um alerta: entorpecente é tudo o que embota nossos sentidos, tudo o que nos tira o raciocínio justo. Assim, até mesmo a tão popular cerveja é entorpecente. Achamos que cerveja não faz mal; que o que faz mal são drogas pesadas e bebidas destiladas. Repensemos. Maridos embriagados por cerveja batem em suas esposas e quebram tudo em casa. Nessa mesma condição, pais distratam e magoam os filhos, jovens morrem e matam em acidentes de carro, transeuntes perdem o senso de direção e são atropelados. Alterados pela cerveja, alguns cometem violência sexual. Seu consumo nos tira do prumo, nos altera o raciocínio e nos priva dos limites de que precisamos para viver em sociedade. De inocente, a tal cervejinha nada tem. Evitemos, portanto, os excessos de todo tipo.

A embriaguez é uma insanidade voluntária.

Sêneca

Depressão

A depressão afeta cada vez mais pessoas em todo o mundo. É um mal sorrateiro que se aloja e derruba homens e mulheres, jovens e velhos, ricos e pobres, religiosos e agnósticos.

Para refletir sobre o assunto, analisemos alguns aspectos abordados na filosofia espírita que podem contribuir para evitarmos a doença ou para nos fortalecermos durante o tratamento.

Pensamentos e ações. O espiritismo nos instrui a cuidar de nossos pensamentos e ações, porque atraímos gente que pensa e age como nós. E essas companhias, tanto encarnadas quanto desencarnadas, nos influenciam e por nós são influenciadas. Que tipo de companhia você quer ter? Para atrair boas companhias, precisamos manter bons pensamentos, falas e atos.

Visão e objetivo. Se temos um objetivo na vida, tudo fica mais interessante. Qual é a sua meta na vida? A meta de todos nós deveria ser a mesma: evolução moral e intelectual. Como e quando vamos atingir essa meta variam de pessoa para pessoa, pois os desafios de cada indivíduo são únicos. Objetivos nobres nos motivam e conferem sentido à vida, nos previnem do vazio, da falta de esperança, de pertencimento e de vontade. Euforia, alegria ou ânimo não são antônimos para a depressão; sentido, rumo e confiança, sim.

Fé. A fé raciocinada e calçada em estudo traz esperança, pois confia e atua, é gratificante e motivadora. Sentimo-nos melhores quando acreditamos em algo maior do que nós, que faz bem a nós e aos outros. A fé nos dá a confiança que nos move e, dessa forma, ajuda a prevenir a depressão.

Autorrecompensa. Reconhecer cada progresso que fazemos, não importa se grande ou pequeno, nos alimenta e nos anima: um comportamento que mudamos, um carinho que fazemos, uma ajuda que damos, uma reconciliação que promovemos, uma fala que emitimos a bem do outro – tudo isso são bons sinais. Tudo isso, se estivermos atentos e reconhecermos, nos alimenta de motivação e alegria, bons antídotos contra a depressão.

Oração. A oração também tem seu papel na robustez de nossa saúde mental e espiritual. Quando rezamos, nos colocamos em posição de humildade, reconhecemos a magnitude de Deus e a nossa pequenez. E a oração não precisa ser longa, muito menos dita em tom formal, com palavras que normalmente não usamos. Rezar é conversar. Se rezamos com o coração e não apenas com a boca, nos aproximamos dos bons espíritos, que buscam a promoção do bem da humanidade, e a eles nos alinhamos. Pensamos, analisamos, ponderamos, assumimos posturas e compromissos com o bem. Isso tudo nos coloca numa posição ativa, significativa, energizada e em total oposição ao estado depressivo.

Dedicação ao outro. Uma das mais eficientes terapias no combate à depressão é a prática da ajuda ao outro. Mas como ajudar quando sou eu quem precisa de ajuda? Quando nos dedicamos ao outro, nosso tempo fica curto – e nosso problema também. Temos que pensar no que fazer para o bem-estar e o conforto alheios e, assim, tiramos o foco da nossa dor para consolar o outro, que pode até estar sofrendo mais do que nós. Essa relativização de nossos problemas é valiosa, pois coloca as coisas sob nova perspectiva. Não temos tempo para sentir pena de nós mesmos nem para ficar remoendo nossas dores e nossos desafetos, pois temos que nos empenhar em achar uma saída para os problemas alheios. Ao tomarmos contato com outras realidades e outras dores, passamos a ter outras referências, analisamos a vida de outro modo, mais imparcial, generoso, completo e rico. Isso toca fundo nossa alma e nos modifica. Está explicado por que quem se dedica a ajudar os outros está sempre feliz.

Boas companhias. É fácil compreender por que a proximidade de bons espíritos nos é benéfica. Onde você fica mais tranquilo? Na companhia de familiares e amigos queridos e equilibrados, que querem o seu bem, ou na companhia de pessoas dominadas pela destemperança, pelo sarcasmo, pelo despeito, pelo rancor, pela inveja e pela violência? Escolha bem suas companhias encarnadas e desencarnadas. Gente do bem melhora nosso humor, nos dá paz, perspectiva, boa intuição e esperança, exercendo influência positiva na nossa saúde mental e emocional.

Humildade. O ego inflado também pode ter papel relevante na depressão. Ter pena de si mesmo é, além de inútil, sinal de ego inflado! Quem tem pena de si mesmo se acha injustiçado, acha que merece mais do que tem, e talvez não se esforce para mudar as coisas. Como nada vem sem esforço, não recebe o que acha que merece e seu ego se melindra. Daí vêm a frustração, a revolta e, para alguns, a depressão. Mais uma razão para colocarmos nosso ego no lugar e no tamanho adequados: nem menor (falta de autoestima) nem maior (arrogância).

Estudo. Quanto menos ignorantes formos, mais fortalecidos estaremos para lidar com uma eventual depressão. Pessoas esclarecidas nas questões do bem viver estão menos sujeitas a armadilhas que normalmente colocamos em nosso caminho. Elas enxergam os problemas como desejáveis ou, no mínimo, inevitáveis exercícios para o desenvolvimento da inteligência e da moral, e, assim, se abalam menos com as dificuldades da vida. Estudo traz conhecimento. Nossos desafios continuarão existindo, mas tudo fica bem mais leve quando aprendemos a lidar com eles com maior sensatez e menor paixão.

Vigilância. Muitas vezes a depressão é fruto da psique do indivíduo ou de um distúrbio químico – ausência de alguma substância necessária ao equilíbrio do organismo. No entanto, também há inúmeros relatos na literatura espírita de espíritos obsessores provocando a depressão em pessoas com as quais se relacionam. Esses espíritos, dependendo de nosso comportamento, da abertura que lhes dermos por nossa invigilância, ficam sugerindo pensamentos depressivos e derrotistas, inspirando desânimo, autodepreciação, autocomiseração e desesperança. Para evitar a companhia desses espíritos ainda bastante atrasados, temos que negar guarida aos maus pensamentos. É como trocar a água suja de um reservatório: vamos colocando água limpa até que, aos poucos, toda a água suja tenha saído e ali reste apenas água cristalina e de boa qualidade. Daí para a frente, é fechar todas as pequenas entradas e permanecer atento para evitar tudo o que pode contaminar a água.

Pertencimento. Pertencer a uma turma, fazer parte de algum grupo ajuda a evitar o estado depressivo. A solidão é ótima para que pensemos e nos encontremos conosco, mas somos seres gregários. Busquemos uma turma com a qual tenhamos afinidade. Pode ser um grupo religioso, um grupo de estudos, a turma do futebol, um grupo de voluntários numa ONG, um curso, nossa família ou mesmo amigos com quem nos encontremos de vez em quando. Não importa onde, desde que possamos nos sentir parte de um todo.

Relevância. Falamos aqui de ser relevante não no sentido de ter autoridade, poder ou fama, mas de ser importante para alguém, pois precisamos nos sentir úteis e queridos. Ser irrelevante dói e deprime. E você? Tem gente que precisa de você? Se acha que não tem, saia procurando: vá para a rua, busque um asilo ou um hospital onde possa atuar no bem. Aliás, olhe para o lado, para dentro de casa. Será que não tem ninguém aí precisando de você? Às vezes o outro necessita apenas de companhia, acalento, alguém que o ouça. Se nos doamos, somos importantes para muitos.

Coragem. Nossa vida é uma sequência de desafios que por vezes se nos apresentam como problemas complexos, graves. E é assim mesmo que tem que ser. Encarnamos para evoluir mais rapidamente, e os problemas são os grandes aceleradores desse processo. Ao nos depararmos com uma dificuldade, devemos agradecer a Deus porque sempre, mais cedo ou mais tarde, ao sairmos do problema, estaremos mais sábios. Essa postura mental acalma e nos ajuda a encarar melhor o que vem pela frente.

A depressão comumente requer tratamento com farmacoterápicos. O espiritismo jamais recomenda abandonar quaisquer tratamentos médicos, mas, seguramente, quem pautar sua vida por posturas adequadas, saudáveis e nobres como essas listadas aqui estará muito mais fortalecido em seu processo de restabelecimento da saúde mental, espiritual e física.

> Quando tudo estiver indo contra você, lembre que o
> avião decola contra o vento, e não a favor dele.
>
> HENRY FORD

Comer com moderação

Se comemos além do que é necessário para manter nosso organismo, o que acontece? O excesso é armazenado na forma de gordura, para um eventual período de escassez de alimento. Mas isso não faz sentido para o homem contemporâneo que vive em países que não estão em guerra, sofrendo catástrofes climáticas ou onde impera a miséria. Para esses bilhões de pessoas, não há escassez de alimento, há abundância. Se consumíssemos apenas aquilo que o nosso organismo necessita, o que aconteceria?

E se comêssemos a metade do que comemos atualmente, todo mundo, no mundo todo?

O que aconteceria com a terra usada para plantio?

O que aconteceria com a produção de tratores e com a produção de óleo diesel usado nos tratores e nos caminhões utilizados no cultivo e no transporte das safras?

O que aconteceria com o gado, os porcos e as galinhas de granja se comêssemos, todos, menos filés, menos hambúrgueres, menos frango frito, menos ovos, queijos, linguiças e frios?

O que aconteceria com a população de atuns e salmões selvagens se comêssemos menos sushis?

E com a nossa saúde? Comendo menos, seríamos menos obesos, teríamos menos problemas de locomoção, de coluna, menos dores nos joelhos. Menos gente precisaria se tratar de diabetes, hipertensão, colesterol alto e outras cardiopatias. Haveria menos gente precisando dos recursos hospitalares. Nessa nova realidade, o que aconteceria com os custos do sistema de saúde? E como seria nossa velhice se todos comêssemos metade do que comemos hoje? Seria mais saudável e mais feliz?

Cientistas apontam o risco de não termos água e terra suficientes para alimentar toda a ainda crescente população mundial. Mas, se todos comêssemos menos, sobrariam terras em condições de plantio. Não seria necessário desmatar áreas de florestas nativas para plantar, então haveria mais nascentes de água fresca. Emitiríamos menos gás do escapamento de tratores, colheitadeiras e caminhões. Com menos gado, haveria menor emissão de gás metano. Ganharíamos uma bela vantagem na batalha contra o efeito estufa e o desequilíbrio climático. Não precisaríamos usar tanto agrotóxico nem tanto adubo. Com isso, poluiríamos menos o solo e os aquíferos.

Comendo menos, haveria menos embalagens a poluir todo canto, e também menos dejetos humanos seriam despejados na natureza.

O excesso de comida em nosso prato faz com que a Terra e a humanidade sofram para produzir mais. A consequência é uma alimentação menos natural e mais cheia de conservantes.

O alimento que sobra no nosso prato falta no de outro. Cada quilo a mais em nosso corpo veio de muitos quilos de alimento ingerido em excesso. Cada quilo a mais em nossa obesa figura não é apenas um problema de estética ou de saúde. Cada grama a mais na nossa balança nos indica um crime que cometemos contra o planeta e contra nossos irmãos. É grave. Pensemos nisso ao fazer nosso prato.

A cada dia a natureza produz o suficiente para nossa
carência. Se cada um tomasse apenas o necessário, não
haveria pobreza no mundo e ninguém morreria de fome.

GANDHI

Alimentar-se de animais

O prestigiado escritor irlandês George Bernard Shaw, dono
de um elaborado humor, teria afirmado: "Os animais são
meus amigos, e eu não como meus amigos."

Mas e os espíritas? Comem animais? Nem todos os espíritas são vegetarianos ou veganos. O que o espiritismo recomenda com relação à alimentação é o mesmo que recomenda com relação a tudo: bom senso e equilíbrio. Alimentar-se adequadamente é alimentar-se sem excessos. Comer ou não comer carne é uma decisão pessoal. O espiritismo nos conta que espíritos superiores alimentam-se de forma muito frugal. Com o tempo, conforme avançarmos em nossa evolução, deixaremos de nos alimentar de animais. Se isso ainda não estiver no rol de nossas possibilidades, sigamos buscando ao menos uma alimentação saudável e frugal.

É bom pensar, no entanto, o que estamos fomentando ao ingerir carne. O livro *Comer animais*, de Jonathan Safran Foer, relata as terríveis condições a que são submetidos os animais destinados à alimentação humana. Outra ótima fonte de informação sobre o tema são os vídeos do Peta, uma organização bastante ativa na defesa dos direitos dos animais. O desrespeito e os maus-tratos dispensados aos animais criados para nos alimentar são regra, desde a prenhez até o confinamento e o abate. Tomar consciência dessa realidade é um passo importante para quem está compromissado com um futuro melhor para a Terra e para todos os que nela habitam.

O livro dos espíritos, em seu Capítulo 4, também nos esclarece no assunto ao dizer:

> *À medida que o espírito se purifica, o corpo que o reveste se aproxima igualmente da natureza espírita. A matéria torna-se menos densa, ele não mais se arrasta em sofrimento pela superfície do solo, as necessidades físicas são menos grosseiras e os seres vivos não têm mais necessidade de se destruírem mutuamente para se alimentar.*

Nada beneficiará tanto a saúde humana e aumentará as chances de sobrevivência da vida na Terra quanto a evolução para uma dieta vegetariana. A ordem de vida vegetariana, por seus efeitos físicos, influenciará o temperamento dos homens de uma tal maneira que melhorará em muito o destino da humanidade.

ALBERT EINSTEIN

Sono e sonhos

Nosso organismo precisa de sono, de períodos de descanso para se restabelecer do desgaste sofrido durante o estado de vigília. Mas e o espírito? O espírito, que não é feito de matéria, não se desgasta e não se cansa como o corpo físico. Então, durante o sono, enquanto o corpo dorme, o espírito vaga.

E para onde vamos? Vamos para onde queremos, pois temos o livre-arbítrio. Vamos para onde nos interessa ir. Alguns se encontram com amigos, têm aulas com espíritos mais evoluídos, discutem seus problemas cotidianos, estudam e aprendem. Outros vão trabalhar, realizar atividades nobres a bem de outros. Vão acalmar, aconselhar, levar o bálsamo de sua amizade, de seu carinho e de seu amor a quem não está bem. Levam esperança a quem está em desespero.

Mas há também um terceiro grupo, daqueles menos compromissados com sua melhora. Esses, na melhor das hipóteses, vagam à toa. Não raro, exatamente por estarem sem objetivo nem rumo, tomam parte em discussões, entram em disputas que não lhes cabem, atiçam, brigam, odeiam e revidam. Fazem isso porque têm inveja, ciúme e por acreditar que o mal causado ao outro é de seu interesse. Na verdade, agem assim por ainda não saberem como agir melhor, por não saberem o que de fato lhes convém. Ignoram. Já outros, moralmente atrasados, porém inteligentes e mais organizados, poderão se unir a outros iguais a eles para planejar ações hediondas.

Nesse assunto, uma dica preciosa que os espíritos mais evoluídos nos dão constantemente é: antes de adormecer, buscar elevar nosso pensamento. Basta, ao nos deitarmos fazer uma prece pedindo a Deus ou ao nosso espírito guardião (ou mentor espiritual) que nos leve para bons lugares e nos proporcione boas experiências durante o sono. Basta que nos coloquemos à disposição para ajudar, aprender e agir no bem.

Quando nos sintonizamos com as boas companhias espirituais durante o sono, temos a oportunidade de visitar as chamadas colônias espirituais para desenvolver nosso aprendizado ou mesmo ajudar em alguma missão de auxílio.

Essas viagens que fazemos em espírito nos ajudam muito. Já reparou que às vezes acordamos muito felizes e leves, mas em outras acordamos muito cansados? E por que será que isso acontece? O motivo para essa noite de sono turbulenta pode ser algo muito concreto que aconteceu nas horas de vigília: uma briga que tivemos antes de dormir, um filme na TV que nos impressionou ou mesmo uma refeição pesada. Mas outras vezes a explicação está em experiências espirituais que tivemos durante o sono.

E quanto aos sonhos? Estivemos mesmo onde e com quem sonhamos? Depende. Por vezes o sonho é uma lembrança de algo que ocorreu no plano espiritual, mas acontece também de não passar de descarga mental, uma fantasia da mente, sem nada a ver com a realidade.

Então ainda hoje, antes de dormir, não nos esqueçamos de elevar nossos pensamentos a Deus, fazer uma prece e nos prepararmos para uma noite reparadora. Bons sonhos!

> Não há dor que o sono não consiga vencer.
>
> HONORÉ DE BALZAC

Beleza

Tudo o que auxilia na harmonização é bem-vindo, e isso inclui a beleza. Uma bela paisagem, um arranjo floral delicado ou arrojado, o design harmônico de um objeto – tudo o que é belo nos traz sentimentos agradáveis, nos faz bem.

E o que seria um espírito belo? É um espírito já mais desenvolvido, mais resolvido e seguro. Por ser mais sábio, ele é bom, leve, sereno e alegre. Um espírito que sabe, e por isso compreende, compreende o erro dos outros e então perdoa. E como também compreende o próprio erro, age para corrigir-se. Compreende o que importa e o que é irrelevante. Não se ocupa nem se preocupa com bobagens. Ocupa-se em amar. Em apaziguar. Em mostrar caminhos e não conflitos. Quando encarnado, um espírito belo é aquela pessoa que todos gostam de ter à sua volta. É aquela pessoa que admiramos e a quem pedimos conselhos. Aquela pessoa que tem a chamada beleza interior.

Falando de beleza, vale um alerta: cuidado com o apego à beleza material. Temos o dever de nos manter saudáveis e bem cuidados, e se pudermos nos apresentar de forma agradável, melhor. Mas o excesso de vaidade é perda de tempo. Há, indubitavelmente, assuntos muito mais importantes que a mera beleza física. Dediquemo-nos a embelezar o espírito, por meio do conhecimento e da evolução moral.

A beleza do corpo se vai com o desencarne, enquanto a beleza do espírito é uma conquista que não se perde e só cresce. A cada dia, por meio de nossa vontade, nos tornamos melhores e, portanto, mais sábios, mais belos e mais encantadores.

A deformidade do corpo não afeia uma bela alma,
mas a formosura da alma reflete-se no corpo.
SÊNECA

Organização

Higiene, limpeza, organização e harmonia podem ser mais importantes do que se supõe. Certa vez ouvi de um dos fundadores do centro espírita que frequento, Gerson, que, se queremos ter boas companhias espirituais, devemos cuidar de nossos pensamentos, palavras e ações, mas não apenas; devemos cuidar também dos ambientes onde vivemos. Segundo ele, espíritos atrasados sentem-se muito mais à vontade em ambientes caóticos, desorganizados e sujos, onde impera a confusão.

A afirmação me pareceu lógica. Atraímos nossos semelhantes e ficamos à vontade em lugares adequados ao nosso modo de ser. Espíritos confusos e desordeiros, por afinidade, devem mesmo preferir ambientes igualmente confusos e na desordem.

Então, pelo sim pelo não, e para nossa própria felicidade, procuremos manter nossa casa e nosso local de trabalho limpos, organizados, belos e harmônicos. Não é preciso ser rico para viver cercado por harmonia e beleza. É, convenhamos, muito melhor estar num lugar agradável e bonito. Dá algum trabalho, mas também muito resultado.

> Ambiente limpo não é o que mais se limpa,
> e sim o que menos se suja.
> CHICO XAVIER

PARTE 8
Perdoar

O perdão

O perdão é algo ainda bem importante, porém pouco compreendido. Quando falamos sobre a questão, surgem muitas perguntas: o que é, de fato, o perdão? Não serei considerado bobo ou fraco por perdoar? Existe perdão sem esquecimento da ofensa? E se eu perdoar e o outro seguir me agredindo? Qual é o papel do perdão na desobsessão?

Para o espiritismo, perdoar é compreender. É entender que aquele que, na nossa opinião, agiu mal contra nós, se o fez, foi por alguma razão, geralmente por incapacidade: foi incapaz de perceber que seu ato nocivo não deveria ter acontecido, pois a maldade a ninguém beneficia. Aquele que agride ainda vacila, ignora as vantagens de agir bem e, por isso, faz o que faz. Também ele, com tempo e esclarecimento, vai mudar para melhor. Conforme evoluir, concluirá que não se beneficia do mal que causa a outros, muito pelo contrário.

E enquanto o outro insiste no mal, qual deve ser nossa atitude? Perdoamos? Não perdoamos? Se o perdoarmos, não estaremos estimulando-o a continuar a agir no mal?

Não confundamos as coisas: perdoar é um sentimento. É não guardar rancor. É não odiar. É não desejar o mal a quem nos causou o mal. Como Kardec diz em *O livro dos espíritos*, perdoar é se alegrar com o bem que atingir aquele que nos causou o mal. Mas perdoar não significa folgar com o mal, dar-lhe livre trânsito. Perdoar é não odiar, mas isso é insuficiente. Devemos sempre agir contra o mal, promovendo o bem e a regeneração.

Perdoar, na visão do espiritismo, é compreender que quem age no mal precisa de correção, mas também precisa de oportunidade e incentivo na melhora, não apenas castigo e ódio. Um assassino deve ser detido para proteção da sociedade, mas deve também ser entendido como um ser deficiente em moral e esclarecimento. Trata-se de um espírito ainda rude, cru, injusto, bruto e ignorante. Ele precisa crescer, e, se pudermos ajudá-lo nesse processo, ótimo. Se não, que pelo menos não o atrapalhemos nessa penosa evolução que inexoravelmente o aguarda. Que não sejamos nós os que lhe imporão ainda mais empecilhos nesse caminhar. Ainda mais importante: que não sejamos nós aqueles que lhe fornecerão ainda mais argumentos para odiar ou justificar seu ódio à humanidade. O melhor para todos é que ele tenha chances de uma vida melhor, correta, mais equilibrada e justa, e que se sinta animado, apoiado e fortalecido a seguir por esse caminho.

> A regra de ouro da conduta é a tolerância mútua, porque jamais pensaremos da mesma maneira, só veremos uma parte da verdade e por ângulos diferentes.
>
> GANDHI

Perdoar é de nosso interesse

É fácil entender por que devemos perdoar. Não é apenas pelo outro. O perdão não beneficia apenas o que errou conosco.

Beneficia, antes de mais nada e de forma mais intensa, a nós mesmos. O principal beneficiado pelo perdão é quem perdoa.

Ao perdoar, tiramos de nossa mente o insistente e contundente raciocínio que fica nos machucando o tempo todo, a nos dizer: "Você foi injustiçado! Foi passado para trás! Foi traído! Foi feito de bobo!" Pensamentos como esses, que atuam no nosso enorme ego, nos fazem mal! Nos machucam, nos torturam. Tiram a nossa paz e o nosso sono, e como são inúteis! Quanta dor causam, quanto pesar e sofrimento desnecessários!

Perdoar, na verdade, é compreender as motivações do outro que nos causou mal. E isso não significa compactuar com o mal e deixar impune quem pratica o crime. Perdoar é apenas compreender por que aquela pessoa agiu assim. Compreendendo, tiramos de nossos ombros o fardo de nos sentirmos enganados. Reconhecemos, modestamente, que o outro, como nós, é pequeno. Ainda é incompleto, insensato e incapaz. Um sofredor, como nós. Que merece correção, mas que merece também a compreensão por quem já esteja – ainda que apenas um pouquinho – mais bem preparado que ele para compreender a vida.

Perdoemos. Tiremos esse peso de nós mesmos. Tiremos de nossa mente e de nosso coração essa angústia espinhenta e enraizada que nos tortura, nos turva o olhar e nos bloqueia o caminho. Tiremos de nós essa âncora que nos impede de seguir fazendo o bem e nos aprimorando em nosso crescimento moral, intelectual e espiritual. Quem não perdoa fica preso a uma ideia fixa: a de que foi enganado, a de que foi prejudicado. Fica focado no mal que acredita ter sofrido e não em como sair da situação. E isso de nada serve. Ficar focado no mal sofrido é pior que o mal em si. Dói e prolonga um sofrimento desnecessário.

Façamos então o esforço de compreender aquele que nos tenha feito algo que consideramos ruim. Compreendamos seu modo de ver o mundo e não o odiemos. Se não conseguirmos amá-lo, como recomenda Jesus, não odiá-lo já será um progresso.

> A armadilha do ódio é que ele nos prende
> demasiadamente próximo do adversário.
> Não posso odiá-lo, porque nada me liga
> a ele: não temos nada em comum.
> MILAN KUNDERA

O perdão e a obsessão

Na crendice popular, o obsessor é aquele espírito diabólico que nos ataca sem razão alguma. Aquele sujeito mau, vindo diretamente das profundezas do inferno, para atazanar a nós, pobres coitados bons e puros. É o chamado encosto. Só que isso não existe.

Não há seres de todo maus, dedicados a atrapalhar quem é de todo bom. Seria injusto, e injustiça não existe. Se Deus permitisse a injustiça, então Deus não seria justo; não sendo justo, Deus seria imperfeito e, sendo imperfeito, por definição, não seria Deus. Nenhum de nós que estamos encarnados aqui na Terra somos cem por cento bons ou cem por cento maus. O que há são pessoas como você e eu, que, ao morrerem, continuam sendo como são: imperfeitas. Tomemos um exemplo bastante atual que nos ajudará na compreensão do que é obsessão.

No momento em que escrevo este livro, gigantescos e escandalosos esquemas corruptos envolvendo empresários e políticos são noticiados todos os dias no Brasil. São muitos casos, mas escolhamos um. Pense no seu político corrupto predileto; naquele que você elegeu sem saber que era criminoso. E pense no empresário igualmente criminoso que aceitou pagar a ele propina para obter vantagens ilícitas. Esses dois eram, até pouco tempo atrás, comparsas. Como em qualquer relação comercial, tinham acordos acertados e confiavam um no outro. Só que o empresário foi descoberto pela polícia e foi preso. Para diminuir sua pena, há apenas uma alternativa: entregar seus cúmplices por meio da delação premiada. E assim acontece: ele depõe, entrega documentos e gravações comprometedoras envolvendo o político. A relação dos dois, que era cordial enquanto roubavam o povo, de repente muda. Agora o político se sente traído. Vê no empresário o causador de seu descrédito. Talvez nunca mais seja eleito. Talvez seja preso. Talvez perca tudo o que roubou. Que tipo de sentimento você acha que esse político terá pelo empresário que antes considerava seu amigo? Vai odiá-lo? Vai buscar vingança? Muito provavelmente, sim. E como o espiritismo chama esse ódio e essa busca de vingança? Obsessão.

Obsessão nada mais é que o que vimos no exemplo: pessoas que se sentem traídas ou injustiçadas por alguém, não perdoam e buscam vingança. São espíritos atrasados, imorais e grosseiros, ainda que por vezes inteligentes e articulados. Por muito tempo, muitos anos, ficarão presos a esse pesado sentimento buscando o que acreditam ser justiça.

Se morremos odiando alguém, nos julgando injustiçados, querendo vingar um mal que julgamos ter sofrido, ficaremos como que presos por aqui, tentando vingança ou, na nossa enviesada concepção, tentando fazer justiça punindo aquele que supomos ter errado contra nós.

Obsessão, infelizmente, ainda acontece com muita frequência. Ocorre entre desencarnado e encarnado, entre desencarnados e entre encarnados. Um persegue o outro, o outro resolve devolver a perseguição e, ambos agindo assim, o sofrimento vai longe, muito longe!

E como se acaba com essa triste história de vingança, que tanto sofrimento causa e que atrasa o progresso de todos os envolvidos? Só há um meio: pela compreensão, isto é, pelo perdão.

> O fraco nunca é capaz de perdoar.
> O perdão é atributo dos fortes.
> GANDHI

"Deus me perdoe!"

É muito curioso como usamos sem a menor cerimônia a expressão "Deus me perdoe!", frequentemente antes de proferirmos algum absurdo. Mesmo sabendo que o que falaremos ou faremos vai contra a caridade e contra o amor ao próximo, decidimos seguir adiante e causar o mal. Mas antes, como que para esconder a nossa podridão, pronunciamos a frase mágica "Deus me perdoe!". E pronto! Achamos que assim estaremos blindados e eximidos de toda responsabilidade pelo mal que causaremos a seguir. Como se, ao falar a frase mágica, recebêssemos uma licença divina para barbarizar.

Claro que não é assim. Pactuamos com o mal, fazemos o mal de caso pensado e pedimos a Deus que nos perdoe? O que isso significa? Significa que não estamos nem aí para Deus, que fazemos dele muito pouco-caso. Por que Deus nos perdoaria de um mal que conscientemente queremos causar? Deus não perdoa, tampouco nos condena por esse mal causado; segundo o espiritismo, Deus nos permite fazer o que quisermos (livre-arbítrio). E nos permite também sofrer as consequências de nossas ações (causa e efeito).

Causamos o mal? Colheremos o resultado desse mal. Promovemos o bem? Viveremos a paz que resulta da promoção do bem. Tudo para que, por nós mesmos, por meio de nossas experiências e nossa vontade, aprendamos e nos aperfeiçoemos.

Aquele que sabe estar causando o mal e não recua é ainda mais responsável por seus maus atos. Tem ciência do que faz e responderá por isso. Esqueça o "Deus me perdoe". Não funciona. Quem ainda age assim, *Deus me perdoe* dizer, mas está bem atrasadinho!

> A maldade bebe a maior parte
> do veneno que produz.
>
> SÊNECA

A reparação

Perdoar é importante? A resposta é, obviamente, sim. Mas, segundo a lógica da filosofia espírita, mais importante que obter o perdão é a reparação. Quando somos perdoados, ficamos felizes e paramos por aí? Isso não basta.

Sendo ou não perdoados, devemos buscar reparar o mal que causamos. Se levamos desarmonia a alguém, harmonizemos. Se trouxemos desconfiança, criemos condições para que a confiança volte a existir. Se espezinhamos, exaltemos. Se destruímos, construamos.

E como se faz isso? Cada um de nós sabe como fazê-lo. Só que nosso orgulho e nosso ego frequentemente ficam no caminho da reconciliação e da reconstrução. Não deixemos que isso aconteça. Sejamos mais fortes que nossa arrogância, nossa vaidade e nosso egoísmo. A justa satisfação de vencer o próprio ego e agir a favor do outro é uma tremenda recompensa.

O prêmio por uma coisa bem-feita é tê-la feito.
RALPH WALDO EMERSON

Quem não se ofende não precisa perdoar

Chegará o dia em que deixaremos definitivamente de perdoar. Ora, mas por quê, se o ato de perdoar é algo bom, que demonstra nobreza de caráter? É que tem algo ainda melhor do que perdoar, algo que demonstra caráter ainda mais apurado: não se ofender! Perdoar é bom para quem ainda se ofende. E a maioria de nós, atrasados que estamos, se ofende com qualquer bobagem.

Quem não se ofende não precisa perdoar, pois nada há a perdoar. Não há mágoa, nem ressentimento, pois há compreensão. Quando compreendermos o que importa, não nos ofenderemos facilmente. Nosso melindre estará então sob controle: não mais ficaremos chateados com fatos insignificantes.

Imagine uma realidade em que ninguém se ofende, ninguém fica chateado, ninguém quer dar o troco, não há vingança, nem violência, nem mal-estar. Há apenas serenidade, harmonia e paz. Na verdade, no momento em que não mais nos ofendermos com o que nos façam, nada mais nos farão de mal. É que os outros, como nós, também terão evoluído e cuidarão de não dar voz ao mal.

Todos vamos nos melhorando, mas, como a natureza não dá saltos, esse nosso avanço não se dará do dia para a noite, nem será igual para todo mundo. Enquanto isso, sejamos exigentes com nosso progresso. Perdoemos cada vez mais e, ao mesmo tempo, cuidemos para não nos magoarmos mais com bobagens. Em seguida, mais um passo: passemos a amar os que nos magoam. Tratemos de ser bons, inclusive e sobretudo, com os doentes da alma. Ajudemos os que ainda estão mais atrasados que nós em seu caminho rumo à sabedoria. Compreendamos. Perdoemos. Não nos ofendamos. Amemos.

> Quando não podemos corrigir alguma coisa,
> o melhor a fazer é saber suportá-la.
> SÊNECA

Aceite ou azeite

Minha mãe, Diva, é uma pessoa especial. Firme porém gentil, muito positiva, alegre, disposta e leve. Sempre nos deu, aos seus cinco filhos, marido, irmãos, genros, noras, cunhados, sobrinhos e netos, um ótimo exemplo de esperança aliada a ação. Aos 94 anos, ela continua a dizer coisas que me surpreendem e encantam.

Um dia desses, numa conversa animada entre ela, minha esposa e eu, minha mãe, despretensiosamente, nos disse: "Na vida, ou a gente aceita, ou azeita." Achei bem interessante, pelo trocadilho e pelo significado.

Tudo o que a vida nos apresenta é nosso, é para nosso crescimento. Tudo o que vem para nós representa uma excelente oportunidade de aprendizado e de aprimoramento. Aceitar isso facilita nossa vida, mas, se for difícil, *azeitemos* a situação difícil com nossa vontade de crescer e aprender, conseguindo, assim, transpor essa barreira. Transformemos a dura dificuldade em um interessante desafio.

Essa linha de pensamento – agir no que for possível e viver bem com o que for impossível mudar de imediato – é mais ou menos o que pregam os filósofos do estoicismo. O *aceite ou azeite* ouvi de Dona Diva, mas poderia igualmente tê-lo ouvido de Sêneca.

> Eu não sei o que há de vir, mas sei o que pode vir.
> Por isso não me desesperarei por nada e esperarei
> por tudo; se algo me for poupado, alegrar-me-ei.
>
> Sêneca

PARTE 9
Elevar-se

O bem

Se eu fosse resumir de que trata o espiritismo, diria que trata do estudo e da prática do bem. De observar-se e agir buscando sempre o aperfeiçoamento. E essa ação envolve tudo o que nos eleva e nos distancia da barbárie. São comportamentos como a cultura da paz, a solidariedade, a igualdade e a justiça. A ilustração, a modéstia e a serenidade. A cidadania, o consumo consciente e a simplicidade sofisticada. A sinceridade construtiva, o diálogo, a confiança e a caridade.

A pergunta que fica, então, é: por que algumas pessoas agem no bem e outras, não? Alguns poderiam dizer que aqueles que agem no mal não conseguem discernir entre as duas coisas. Erram porque não sabem o que é bom ou mau. De acordo com a filosofia espírita, porém, todos nós, espíritos, no fundo sabemos o que é certo e o que é errado. A questão é que há níveis de consciência distintos, de acordo com o adiantamento e a vivência de cada um. Um ser que tenha vivido mais provavelmente sabe mais, compreende melhor o bem e o mal e entende ser de seu interesse agir no bem. Mas todos sabemos o que fazemos.

No fundo, todos sabemos quando prejudicamos alguém. E mesmo assim o fazemos, pois achamos, naquele momento, que é a alternativa que mais nos convém. Não conseguimos perceber que sempre, invariavelmente, agir no bem é melhor, para nós e para todos. Então, se deixamos de fazer o bem por conta de nossa ignorância, esse é o ponto a ser enfrentado.

> Reconhece-se o verdadeiro espírita por sua
> transformação moral e pelos esforços que
> faz para dominar suas más tendências.
> ALLAN KARDEC

Propagando o bem

Já se disse que o bem é quieto e o mal, barulhento. De fato, o mal parece ter muito mais voz e mais espaço que o bem. Culpa da mídia? Talvez, mas olhemos o nosso comportamento: quem de nós não gosta de uma fofoquinha? Sabe aquele desastre horroroso na estrada? Pois é, quem resiste a dar uma boa olhada? Parece que somos fãs da desgraça, do crime, do mal. Que coisa curiosa!

Se somos assim, precisamos mudar! Não deixemos de ver o lado ruim e atrasado das coisas, pois só assim podemos, por comparação, buscar o bem e nos corrigir, mas olhemos também o lado belo da vida e das pessoas.

Quanta gente você conhece que vive no bem, busca o bem e faz o bem? Quantos belos casos de devotamento e socorro ao próximo você não conhece? Se puxar pela memória, verá que, a começar pela sua família, existem muitos casos assim. Então, que tal passarmos a falar também do bem, dos bons exemplos, das boas ações, do progresso que vemos todos os dias por toda parte?

Propaguemos o bem. Cuidemos de não dar combustível ao mal. Se queremos o bem, façamos com que ele aconteça e que seja divulgado pelos quatro cantos.

> Ninguém tem dor de estômago por engolir
> palavras cruéis que deixou de dizer.
> WINSTON CHURCHILL

Nossos atos falam por nós

"Teus atos falam tão alto que não consigo ouvir o que dizes."

Essa inspirada frase é do filósofo americano Ralph Waldo Emerson. Quanta gente você conhece que fala uma coisa e faz outra? Muita gente. Provavelmente nós mesmos. Pensar em quanto o outro precisa melhorar é fácil; difícil é nos comprometermos com a nossa própria melhora.

Deveríamos a todo momento olhar para nós mesmos, gastar menos tempo criticando os outros e mais tempo reformando-nos. O que em mim não está bom? Em que preciso mudar? Meu modo de agir já está de acordo com o que creio e prego? Sou para os outros o que gostaria que eles fossem para mim e para a humanidade?

Se não nos cabe mudar o outro, então façamos a nossa parte. Mudemos o nosso próprio modo de ser e agir. Trata-se, é verdade, de um processo bastante trabalhoso, mas interessantíssimo e muito recompensador!

Trabalhemos duro para que um dia, graças aos nossos esforços, possamos adaptar a frase de Emerson para: "Meus atos falam por mim e eu nada mais preciso dizer."

Por que observas o cisco no olho do teu irmão e não reparas na trave que está no teu próprio olho?

JESUS CRISTO

Ver com bons olhos

Cada pessoa enxerga o mundo de uma forma. Uns o veem extremamente colorido, tudo lindo, puro e bom. Outros o veem extremamente escuro, tudo feio, sujo e mau. Entre esses olhares absolutos há uma série de outros olhares, provavelmente mais ponderados, mas, se queremos promover o bem na humanidade, busquemos ver a vida com bons olhos.

Vejamos o bem onde de fato haja o bem. Não desconfiemos de tudo e de todos todo o tempo. Confiemos na boa vontade e na boa intenção do outro. Vejamos o bem em cada pessoa. Reconheçamos mérito e esforços. Um voto de confiança pode ser o que falta para aquela pessoa (que é igualzinha a nós) retornar ao bom caminho.

Quem olha o mundo sob a perspectiva espírita analisa as principais questões em termos de longo prazo. Não se desespera nem se surpreende com nada, pois sabe que tudo tem um motivo, uma razão de ser. Entende que tudo o que acontece pode ser de proveito para o espírito em evolução. Crê que amanhã sempre haverá uma nova alternativa, uma nova chance, e que não há problema sem solução, nem dor sem bálsamo.

A beleza está por toda parte, até mesmo nas provações, que nos sensibilizam e nos educam. Não devemos folgar com a miséria e a dor, mas enxergar nelas a sabedoria de um mundo em evolução, que oferece inúmeras oportunidades de ação e melhora a todos, a todo momento.

> Estamos todos sonhando com um mágico jardim de rosas no horizonte, em vez de desfrutar das rosas que estão florescendo do lado de fora de nossas janelas hoje.
>
> DALE CARNEGIE

A porta estreita

Disse Jesus: "Entrai pela porta estreita; porque larga é a porta, e espaçoso o caminho que conduz à perdição." Podemos entender a porta estreita, mais difícil e seletiva, como o caminho da honestidade, da dignidade, da sinceridade, da ética e da moral, da fraternidade, da cidadania e do amor. Cruzar essa porta é vencer a tentação do ganho fácil. É resistir a furar fila, não passar pelo acostamento na estrada congestionada quando "todo mundo" faz isso, não sonegar impostos, não mentir no afã de ganhar um argumento, não criar boatos para prejudicar um colega de trabalho.

Quem passa pela porta larga busca a facilidade e usa de quaisquer artimanhas para vencer. Dá golpes e jeitinhos, faz acertos escusos e conchavos que prejudicam alguém para beneficiar a si mesmo. Isso é fácil de fazer, mas traz consequências. Teremos que lidar com a dor, que vem para nos educar, e reparar nossos erros. Agir no mal nos faz viver na febre da desconfiança e da preocupação, na insônia e no medo.

O prazer visado por aqueles que entram pela porta larga é efêmero e incompleto; não satisfaz nem proporciona felicidade. Por isso que se vê muita gente (rica ou pobre) infeliz. São pessoas desnorteadas, que buscam a felicidade no lugar errado, não compreendem por que seguem sendo infelizes e insistem em agir mal.

A conquista da paz de espírito passa pelo caminho mais difícil e trabalhoso, mas é a única via realmente efetiva e duradoura. Tratemos de superar as provações com paciência, praticar a caridade e manter a fé com alegria. Livremo-nos de qualquer carga extra que diminua as chances de passarmos com facilidade pela porta estreita.

> Quanto à virtude, podes chegar a ela sem aparato, sem despesas. O que é preciso para tornar-se bom? Apenas querer.
>
> SÊNECA

A prece

Qual é o poder da prece? Posso pedir a Deus que me livre de algo ruim? A oração pode mudar algo por que devemos passar?

Podemos pedir o que quisermos, mas nem sempre seremos atendidos. Isso porque o que é importante vivermos será mantido, independentemente do incômodo que nos cause. Aliás, progredimos, em grande medida, justamente pelo incômodo.

Mesmo assim, a oração é de grande ajuda, pois nos dá força para superar as situações difíceis. E é disso que precisamos. Por meio da oração sincera e compromissada com o bem, também atraímos a simpatia e o apoio de espíritos mais evoluídos, que vêm em nosso auxílio. Porém eles não nos livram de dificuldades que nos beneficiarão em nosso progresso; o que fazem é nos fortalecer por meio de nossa intuição: nos inspiram, nos dando boas ideias, ânimo, esperança e fé. Eles nos estimulam a enxergar o que está acontecendo com bons olhos, olhos que então enxergam novos caminhos, e, assim nos ajudam a seguir em frente diante de desafios. Com esse suporte, mudamos o modo pelo qual encaramos os problemas.

Em resumo: a oração não muda a situação, mas muda muito – para melhor – o modo como lidamos com ela. É como se a oração nos desse óculos novos, que nos permitissem ver além do que víamos antes. E, enxergando melhor, conseguimos agir de forma mais apropriada, sofrendo menos com eventuais reveses.

> No mínimo, a prece nos pacifica para que
> encontremos por nós mesmos a saída para a
> dificuldade que estejamos enfrentando.
>
> CHICO XAVIER

Prece aliada a ação

Podemos pedir qualquer coisa em nossas preces, mas elas serão atendidas de acordo com a relevância que aquilo que pedirmos tenha para nós e para outras pessoas, e também de quão empenhados estivermos em fazer a nossa parte. Temos que nos mexer se quisermos contar com o apoio do plano espiritual.

Um bom exemplo foi o processo de escrever este livro. E se eu pedisse a Deus, por meio da prece, que me desse este livro prontinho? E que se tornasse um best-seller? Será que o livro aconteceria, sem empenho algum de minha parte? Provavelmente não. Mas e se eu pedisse a Deus inspiração e tranquilidade para escrever e me comprometesse a me empenhar para escrevê-lo, publicá-lo e divulgá-lo? Foi o que de fato fiz. E assim estou tendo tudo de que preciso: apoio e força de vontade.

Ficou clara a diferença entre apenas pedir e pedir e empenhar-se? Deus nos dá o que temos condições de usar bem, como um bom pai faz com seus filhos. Ele nos oferece apenas o que nos seja de fato útil e não o que nós, na nossa ignorância, achamos que precisamos ter para sermos felizes. Deus sabe muito mais que nós.

> Pedir demasiado é a maneira mais segura de receber ainda menos do que é possível.
>
> BERTRAND RUSSELL

A meditação

Alguns preferem meditar a orar. Mas qual é a diferença entre as duas coisas?

De certa forma, a oração feita com sinceridade, raciocínio e sentimento é uma meditação. E a meditação feita com generosidade, grandeza e dedicação é uma prece. Tanto faz o nome ou a técnica – o que importa é o sentimento.

Recentemente, quatro amigos meus promoveram um interessante café da manhã com um lama budista num hotel em São Paulo. Éramos um grupo de uns 30 executivos e empresários ouvindo-o discorrer, com muita propriedade, sobre a vida. Ao final de sua fala, quando se abriu espaço para perguntas, indaguei por que a meditação é necessária.

Expliquei que eu não meditava no modo clássico – em determinado momento do dia, em determinada posição, em silêncio, virado para a parede –, mas que passava praticamente o dia todo em prece. Tampouco proferia uma oração decorada ou com determinado objetivo. O que eu fazia estava mais para um estado de prece permanente: observo o mundo ao meu redor, me encanto e reflito sobre o que noto. Nesse raciocínio, vou extraindo mais aprendizado que conclusões. Mudo a partir do que passo a compreender. Vou me solidarizando em pensamento e, por vezes, em palavras e atos com os que estão ao meu redor. Não raro peço a Deus que abençoe os que necessitam de socorro e os que merecem reconhecimento por seus esforços e méritos. Modestamente, também eu os abençoo, pois penso que todos nós temos a capacidade de abençoar. Emano para essas pessoas sentimentos como alegria, bem-estar, saúde, gratidão e tranquilidade.

Narrei tudo isso de forma muito sucinta ao monge, e sua resposta me surpreendeu e satisfez. Ele disse que a meditação não é para todos. Que eu já estava fazendo algo muito interessante e, portanto, não precisava recorrer à meditação tradicional. A meditação, segundo ele, serve bem a quem precisa de um tempo para calar a mente para refletir, mas eu já fazia isso, naturalmente e ao meu modo, no trânsito, na caminhada na praça, no trabalho, no restaurante, em toda parte. E isso bastava. Fiquei feliz.

> É fácil viver no mundo conforme a opinião das pessoas. É fácil, na solidão, viver do jeito que se quer. Mas o grande homem é aquele que, no meio da multidão, mantém com perfeita doçura a independência da solidão.
>
> RALPH WALDO EMERSON

Ser alguém na vida

Dizemos frequentemente: "Quero ser alguém na vida!" Muitas vezes essa expressão significa que queremos ser alguém influente, poderoso, rico. Que mesquinho da nossa parte! Deveríamos querer "ser alguém" que de fato atue no bem.

Que tal sermos bons de perto? Bons pais, filhos, esposos, avós, primos, tios, cunhados, genros e noras, sogros e sogras?

Que tal sermos bons de longe? Bons vizinhos, cidadãos, contribuintes, clientes, fornecedores, pacientes, eleitores, motoristas, pedestres, consumidores, torcedores, alunos, funcionários e chefes?

Que tal sermos bons anonimamente? Fazer o bem sem que ninguém (exceto você e um enorme número de espíritos) saiba? Já pegou o lixo que alguém jogou na rua? Já colocou um cobertor em um morador de rua sem que ninguém o visse? Já dirigiu seu carro cautelosamente, a fim de proteger um motociclista ou ciclista que trafegava numa via movimentada e perigosa? Já deu um jeito de pagar algo para alguém cuidando para que ninguém notasse?

Ser alguém que atua no bem nos traz a boa sensação de realização. Atitudes benevolentes proporcionam alegria íntima, a sensação de propósito, de realização e de sentido para nossa existência. E isso sustenta, acalma, energiza, alegra, completa.

Sejamos alguém na vida: na nossa vida e na de muitos. Sejamos alguém que promove o bem!

> Não tentes ser bem-sucedido; tenta,
> antes, ser um homem de valor.
>
> ALBERT EINSTEIN

Ser bom

Como fazer para trilharmos o caminho do bem e não nos perdermos nos desvios? Aqui estão 20 dicas:

Ser bom é ser sincero. Isso não quer dizer falar tudo e de qualquer jeito, usando daquela sinceridade que machuca. Sinceridade não pressupõe grosseria. Podemos falar a verdade por meio de palavras amistosas, que abraçam, acalentam e apoiam.

E, se temos medo de magoar o outro com nossas declarações, vale nos perguntarmos: será que preciso mesmo falar o que desejo falar? Vai ser bom para o outro? Vai ajudá-lo?

Ser bom é ser honesto. E isso inclui a honestidade consigo mesmo. Ser honesto consigo significa não se iludir, não se justificar, reconhecer os próprios erros e, com modéstia, as próprias limitações. Ser honesto com os outros significa não enganar, não mentir, não levar vantagem sobre os demais.

Ser bom é querer o bem. Devemos buscar o bem por toda parte, ativamente, além de divulgarmos as boas ações, dando ao bem a publicidade que merece. Quem é bom deseja o bem, acolhe o bem, promove o bem, vive o bem.

Ser bom é ser calmo. É difícil ser calmo todo o tempo, mas, se estivermos atentos e comprometidos com nosso equilíbrio, alcançaremos a tranquilidade desejada. Nosso destempero altera o ambiente, afeta nossa saúde e prejudica todos ao nosso redor. Um irritado irrita outro, que irrita outro, que irrita outro, e assim vai. Ser calmo requer que o raciocínio prevaleça sobre a emoção.

Ser bom é ser modesto. A modéstia também é uma virtude que se constrói. Para exercer o autocontrole sobre a arrogância, procuremos vigiar nossa conduta diária. A modéstia não agride e não exige, mas afaga, anima e aproxima as pessoas.

Ser bom é ser justo. Justiça exige equilíbrio, equidade, sinceridade, coragem e retidão. O justo firma um compromisso com a correção, com o bem e com o próximo.

Ser bom é ser caridoso. Diz o espiritismo: fora da caridade não há salvação. A caridade pode ser entendida como amor em ação e inclui tudo que fazemos para o bem dos outros. A caridade está na tolerância e na compreensão, no perdão e no amparo, no sorriso e na gentileza. Está na doação material e mais ainda na doação de si mesmo a quem precisa de apoio.

Ser bom é ser solidário. Solidariedade significa compreender o outro, colocar-se em seu lugar, apoiá-lo, entender suas dores e dificuldades. É dividir e aliviar a carga do outro. Ser solidário é ser amigo.

Ser bom é ser sensível. A pessoa boa se condói pela dor alheia e por aquele que sofre. Não importa quanta miséria haja no mundo, cada caso sensibiliza aquele que é bom, e ele, sensibilizado, age no intuito de melhorar a situação.

Ser bom é ser fraterno. Fraternidade significa ter o amor que se tem pelo irmão de sangue para com todas as pessoas. É amar ao outro, seja ele quem for, aja ele como agir.

Ser bom é ser generoso. Generosidade não é apenas doar dinheiro. Para sermos bons, devemos ser generosos com nosso sentimento, nossa compreensão, nossa atenção, nosso tempo, nossa confiança.

Ser bom é ser polido. Educação, trato, tato e delicadeza são características de espíritos evoluídos. Polidez é uma virtude charmosa, que encanta, alegra, acalma e faz bem.

Ser bom é ser responsável. Sejamos responsáveis, em primeiro lugar, por nós mesmos, nossos atos e nosso desenvolvimento moral e intelectual. Mas nossa responsabilidade se estende para todos à nossa volta – pais, irmãos, filhos, cônjuges, amigos, colegas e chefes – e, em última instância, para toda a humanidade! Somos nós que fazemos a Terra e a humanidade avançarem.

Ser bom é ser atento. Pessoas boas estão atentas às necessidades alheias, mesmo e sobretudo àquelas que não são expressas. Buscam entender o que o outro precisa e se antecipam em atendê-lo. Importam-se com tudo o que acontece à sua volta, percebem, analisam e agem, sempre na busca do bem e da paz.

Ser bom é confiar. A confiança é uma demonstração de amor. Confiemos no todo: no futuro, em Deus, em nós. E também no outro. Confiar no outro o estimula a tornar-se digno de confiança. Confiar traz paz!

Ser bom é perdoar. Jesus disse que devemos perdoar não sete vezes, mas 70 vezes 7, ou seja, sempre. Então compreendamos quem errou e perdoemos – se não pelo outro, por nós mesmos, pelo nosso sossego, pois aquele que não perdoa fica estagnado.

Ser bom é ser amoroso. Ser amoroso é distribuir atenção, consolo, paz, esperança, carinho, solidariedade, bom humor e alegria por toda parte. Sejamos generosos com o amor e ele nunca acabará! Quanto mais amor se dá, mais se tem para dar.

Ser bom é ser compreensivo. Compreender exige raciocínio, boa vontade e colocar-se, de verdade, no lugar do outro. Exige também compaixão, modéstia e honestidade de propósitos. Um exercício e tanto.

Ser bom é ser útil. Há inúmeras oportunidades de sermos úteis. Auxiliemos o outro com nossa diligência. Afastemos a preguiça e o egoísmo: atuemos pelo bem do outro!

Ser bom é ser pacífico. Ser pacífico é cuidar de não magoar, não ofender, não agredir. É trabalhar situações de conflito buscando a conciliação de interesses. É ter boa vontade para com a outra parte, tentando entender seu ponto de vista. É evitar dar dimensão maior aos eventos negativos. Uma pessoa de bem deve promover a paz em todas as circunstâncias.

Quando vires um homem bom, tenta imitá-lo; quando
vires um homem mau, examina-te a ti mesmo.

Confúcio

O homem de bem

A seguir, transcrevo as palavras que considero as mais belas de tudo que conheço da literatura espírita. O texto pode ser encontrado nos dois principais livros de Allan Kardec na doutrina espírita: *O Evangelho segundo o espiritismo* e *O livro dos espíritos*.

Leia com atenção. Medite, encante-se e, sobretudo, incorpore.

O verdadeiro homem de bem é o que cumpre a lei de justiça, amor e caridade, na sua maior pureza. Se ele interroga a consciência sobre seus próprios atos, a si mesmo perguntará se violou essa lei, se não praticou o mal, se fez todo o bem que podia, se desprezou voluntariamente alguma ocasião de ser útil, se ninguém tem qualquer queixa dele; enfim, se fez a outrem tudo o que desejava que lhe fizessem.

Deposita sua fé em Deus, na Sua bondade, na Sua justiça e na Sua sabedoria. Sabe que sem a Sua permissão nada acontece e se Lhe submete à vontade em todas as coisas.

Tem fé no futuro, razão por que coloca os bens espirituais acima dos bens temporais.

Sabe que todas as vicissitudes da vida, todas as dores, todas as decepções são provas ou expiações e as aceita sem murmurar.

Possuído do sentimento de caridade e de amor ao próximo, faz o bem pelo bem, sem esperar paga alguma; retribui o mal com o bem, toma a defesa do fraco contra o forte e sacrifica sempre seus interesses à justiça.

Encontra satisfação nos benefícios que espalha, nos serviços que presta, no fazer ditosos os outros, nas lágrimas que enxuga, nas consolações que prodigaliza aos aflitos. Seu primeiro impulso é para pensar nos outros, antes de pensar em si, é para cuidar dos interesses dos outros antes do seu próprio interesse. O egoísta, ao contrário, calcula os proventos e as perdas decorrentes de toda ação generosa.

O homem de bem é bom, humano e benevolente para com todos, sem distinção de raças, nem de crenças, porque em todos os homens vê irmãos seus.

Respeita nos outros todas as convicções sinceras e não lança anátema aos que como ele não pensam.

Em todas as circunstâncias, toma por guia a caridade, tendo como certo que aquele que prejudica a outrem com palavras malévolas, que fere com o seu orgulho e o seu desprezo a suscetibilidade de alguém, que não recua à ideia de causar um sofrimento, uma contrariedade, ainda que ligeira, quando a pode evitar, falta ao dever de amar o próximo e não merece a clemência do Senhor.

Não alimenta o ódio, nem rancor, nem desejo de vingança; a exemplo de Jesus, perdoa e esquece as ofensas e só dos benefícios se lembra, por saber que perdoado lhe será conforme houver perdoado.

É indulgente para as fraquezas alheias, porque sabe que também necessita de indulgência e tem presente esta senten-

ça do Cristo: "Atire-lhe a primeira pedra aquele que se achar sem pecado."

Nunca se compraz em buscar os defeitos alheios, nem, ainda, em evidenciá-los. Se a isso se vê obrigado, procura sempre o bem que possa atenuar o mal.

Estuda suas próprias imperfeições e trabalha incessantemente em combatê-las. Todos os esforços emprega para poder dizer, no dia seguinte, que alguma coisa traz em si de melhor do que na véspera.

Não procura dar valor ao seu espírito, nem aos seus talentos, a expensas de outrem; aproveita, ao revés, todas as ocasiões para fazer ressaltar o que seja proveitoso aos outros.

Não se envaidece de sua riqueza, nem de suas vantagens pessoais, por saber que tudo o que lhe foi dado pode ser-lhe tirado.

Usa, mas não abusa dos bens que lhe são concedidos, porque sabe que é um depósito de que terá de prestar contas e que o mais prejudicial emprego que lhe pode dar é o de aplicá-lo à satisfação de suas paixões.

Se a ordem social colocou sob seu mando outros homens, trata-os com bondade e benevolência, porque são seus iguais perante Deus; usa de sua autoridade para lhes levantar o moral e não para os esmagar com o seu orgulho. Evita tudo quanto lhes possa tornar mais penosa a posição subalterna em que se encontram.

O subordinado, de sua parte, compreende os deveres da posição que ocupa e se empenha em cumpri-los conscienciosamente.

Finalmente, o homem de bem respeita todos os direitos que aos seus semelhantes dão as leis da Natureza, como quer que sejam respeitados os seus.

Não ficam assim enumeradas todas as qualidades que distinguem o homem de bem; mas aquele que se esforce por possuir as que acabamos de mencionar, no caminho se acha que a todas as demais conduz.

Penso que aqui está a essência da filosofia espírita: o autoconhecimento, o estudo, a resiliência, a caridade, a equidade, o autoaprimoramento, a compaixão, a empatia, a modéstia.

A última frase é a mais surpreendente. Com todas essas virtudes, ainda assim não estão listadas todas as qualidades do homem de bem... Uau! Temos, de fato, um longo caminho a trilhar.

> Pregue o Evangelho a todo momento.
> Se necessário, use palavras.
>
> FRANCISCO DE ASSIS

Amor-próprio

Quem não tem amor-próprio não é capaz de dar amor ao outro. Sem amor-próprio estamos vulneráveis, a um passo da depressão, da dependência do álcool e das drogas, suscetíveis aos leitores de sorte e a todo tipo de manipuladores. A ausência de amor-próprio nos afasta de nós mesmos. O amor-próprio faz com que sejamos nosso melhor amigo e nosso primeiro recurso.

Um dia desses, ao final de uma palestra num centro espírita muito bacana em São Miguel Paulista, um rapaz me fez a seguinte pergunta: "Eu gosto de mim. Sou feliz comigo. Sou grato a Deus pela vida que tenho. Será que faço mal em gostar de mim mesmo?"

Gostar de si é fundamental. Contamos em primeiro lugar é com a gente mesmo. Estamos conosco o tempo todo. Já pensou passar 24 horas por dia, sete dias por semana, juntíssimo de uma pessoa que você não admira e da qual não gosta? Que sofrimento! Precisamos gostar de ficar acompanhados de nós mesmos. Precisamos nos entreter com os próprios pensamentos, nos animar com o próprio raciocínio, que deveria ser um desafio constante à nossa melhora e ao conhecimento mais elaborado.

Na pergunta do rapaz, no entanto, senti haver certa preocupação. Parece que "pega mal" gostarmos de nós mesmos. Pode parecer falta de modéstia, arrogância. Mas não devemos confundir as coisas. Ter apreço por si mesmo, pelo que faz, por como é, pelo que aprende, pelo que ensina, pelo bem que promove e como evolui, nisso não há mal.

Gostar de si mesmo é essencial, mas, como em tudo, aqui também o excesso é prejudicial. Excesso de amor-próprio pode virar soberba e fazer com que não enxerguemos nossos defeitos, julgando-nos melhores que os demais. É só mantermos esse gostar de si dentro do razoável, cuidar para não virar exagero, para não virar paixão por si, para, como dizem, "não ficar se achando". Modéstia, humildade, bom senso e uma boa dose de realidade são antídotos poderosos contra esse perigoso fascínio com a própria personalidade. E gostar de si mesmo é uma excelente vitamina para nos animar e alegrar.

Aquele que conhece a arte de viver consigo
próprio ignora o aborrecimento.

Erasmo

Amar um desconhecido

Diz-nos o espiritismo que, no futuro, amaremos todos. Todos amarão todos. Amar a quem nos ama é fácil, mas como amar alguém que nem nos conhece, que nunca fez nada por nós? Será que é impossível?

E se eu disser que já fazemos isso? Note como rapidamente nos afeiçoamos a um personagem de novela ou série ou de um desses programas que vão eliminando os participantes. Basta um episódio para que nos sintamos íntimos deles. Passamos a intuir seus sentimentos, nos comovemos com suas dificuldades, torcemos pelo seu sucesso. Isso acontece porque passamos a observá-los, prestamos atenção ao que dizem e ao que parecem estar sentindo. Reconhecemos sua sabedoria e nos solidarizamos com suas dores. Quando realmente nos identificamos com eles, afirmamos que os amamos. E por que não fazemos o mesmo com os desconhecidos que nos cercam?

Chegará o dia em que amaremos o desconhecido da rua com a mesma qualidade de amor com que amamos nossos pais, nosso cônjuge e nossos filhos. Amaremos o guarda e o gari, o político e o taxista, o religioso e o dentista, o criminoso e o juiz, o bebê e o ancião.

Chegará o dia em que compreenderemos que o amor não impõe limites, que todos de fato somos espíritos necessitados de amor e que todos, igualmente, somos fontes de amor. Que o outro é igual a nós e que há nele belezas admiráveis e nódoas a serem limpas. Esse é nosso futuro. Entendendo que é, sim, possível amar ao próximo mesmo quando não o conhecemos, compreende-se que também é possível amar a toda a humanidade. Pois o que é a humanidade senão a soma de todos os que vivemos, encarnados ou não?

Deve ter sido esse amor pleno e sublime que animou Sócrates, Jesus, Sêneca, São Francisco, Buda, Gandhi, Martin Luther King, Allan Kardec, Dom Helder, Chico Xavier, Frei Damião, Madre Teresa, Irmã Dulce e outros grandes humanistas e pacifistas tão admirados. Deve ser esse o sentimento que anima o papa Francisco e todos aqueles que dedicam sua vida ao próximo, amando seus irmãos independentemente da religião que professam, do gênero, da cor da pele, da orientação sexual, da posição política, da sua nacionalidade e até mesmo de seus crimes. Amam apenas – apenas?

Observemos as pessoas à nossa volta com generosidade de sentimentos. Amemos essas pessoas em suas características e dificuldades, em seus amores, suas dúvidas, seus medos e suas imperfeições, que não são diferentes das nossas. Amemos pelo que são e aprendamos com elas. É fascinante! Isso é o *amai-vos uns aos outros.*

> Feliz daquele que, no decorrer de sua vida, ama
> amplamente seus irmãos em sofrimento! Feliz daquele
> que ama, pois não conhece nem a angústia da alma,
> nem a do corpo. Seus pés são leves e vive como
> se estivesse transportado fora de si mesmo.
>
> LÁZARO

A regra de ouro

Que pequenos belos gestos estão ao nosso alcance? O que podemos fazer no dia a dia de forma a contribuir para o bem de todos? É fácil: sigamos a regrinha do *façamos pelo outro o que gostaríamos que fizessem por nós*.

Se gostamos de ser bem tratados, tratemos bem os outros.

Se gostamos de ter nossos direitos respeitados, respeitemos os direitos dos outros.

Se gostamos que respeitem nosso modo de ser, respeitemos o modo de ser dos outros.

Se gostamos de ter nossa opinião considerada, consideremos a opinião dos outros.

Se gostamos de nos sentir aceitos e integrados, aceitemos os outros e integremo-los em nosso meio.

São muitos os pequenos gestos de boa vontade que aproximam as pessoas e promovem a paz. Com um simples agrado, como uma flor, um bilhete carinhoso, um chocolatinho ou um convite para um café, dizemos à pessoa que ela é importante para nós. Com elogios sinceros, arrancamos sorrisos e alegramos seu dia. Com minutos de nossa atenção, valorizamos o outro, oferecemos apoio e o resgatamos de sua solidão. Com atitudes gentis como segurar a porta do elevador para alguém, deixar o outro passar na frente na fila do supermercado, pegar algo que caiu no chão ou ajudar a carregar alguma coisa, encantamos e tornamos o fardo do outro mais leve.

Tudo isso conforta e dá esperança. Tudo isso promove a paz. E o melhor: está ao alcance de todos nós.

É mais fácil obter o que se deseja com um
sorriso do que à ponta da espada.

WILLIAM SHAKESPEARE

Promover a paz

É comum ouvirmos: "Estou precisando de paz! Eu não tenho paz nesta casa!" Mas talvez devêssemos dizer: "Estou promovendo a paz! Eu trarei a paz para esta casa!"

Achamos que a paz é função do outro. É o outro quem tira a minha paz. Nunca reconhecemos ameaças à tranquilidade em nosso modo de agir, mas frequentemente somos nós que estressamos todo o ambiente. E fazemos isso junto aos que mais amamos: nossos familiares.

A paz é frágil. Toda vez que respondemos de forma grosseira, que ignoramos alguém, que usamos de sarcasmo, que menosprezamos, estamos destruindo a paz. Toda vez que nos acalmamos e buscamos entender o ponto de vista alheio mantendo nosso ego sob controle, quando perdoamos aquele que nos magoa ou ainda quando não levamos adiante uma fala maldosa, estamos promovendo a paz. Mas tudo isso – evitar o destempero, o egoísmo, a mágoa e a ofensa – requer esforço de nossa parte. Exige atenção, vontade e ação. Uma vez mais: depende de nós.

Em casa

A nossa paz começa em casa: com nossos familiares. Nossa família foi formada para unir as pessoas que deveriam estar juntas nesta encarnação. Elas têm um compromisso umas com as outras. Algumas vieram para ajudar; outras, para ser ajudadas. Outras ainda vieram para atuar em conjunto para o bem de alguns ou de muitos.

É comum termos na família algumas pessoas com quem não nos damos muito bem. Viemos juntos não por acaso, portanto devemos procurar conviver sobretudo com esses, buscando a harmonia e a paz.

A paz em nosso lar depende de todos que o habitam e frequentam. Se o modo de agir do outro depende, em parte, de como agimos (nosso exemplo), devemos nos comportar adequadamente.

Nossos atos promovem a paz ou contribuem para a desarmonia? Temos contribuído para que tudo seja melhor? Temos atuado em sintonia com nossas crenças e com o mundo que queremos? Nossas ações têm sido coerentes com a pessoa que queremos ser? Caso não, por quê? Pensemos a respeito de qualquer incongruência que possa existir e tomemos a iniciativa para resolvê-la. E façamos isso já, pois a paz da casa assim exige. E a nossa paz interior também.

No trabalho

Depois de casa, o trabalho é, provavelmente, o local onde nosso modo de agir mais influencia os demais, seja na paz, seja na desarmonia. Fora as horas que passamos no escritório, ainda ficamos ligados no trabalho graças aos smartphones e às redes sociais, com aplicativos de conversa em grupos e e-mails.

Também no trabalho nos parece frequentemente que apenas os outros são os culpados pela falta de paz. A desarmonia é causada pelo chefe, que é absolutamente insensível. E também por nossos colegas, que são, para dizer o mínimo, inescrupulosos. Isso sem falar dos subordinados, um bando de preguiçosos e incapazes. Será que é assim mesmo? Claro que não. Mas quase sempre é assim que os vemos ou que queremos ver a situação.

Parece que acreditamos que a única pessoa boa no trabalho somos apenas nós mesmos. Achamos que estamos sempre com a razão, apenas nós. Não nos iludamos. Também no trabalho sejamos corretos, honestos e modestos. Reconheçamos nossos méritos, sim, mas também nossas deficiências e nossas faltas, e valorizemos os méritos dos outros.

Se temos uma equipe sob nossa coordenação, se somos chefe, lembremos que estamos ali para viabilizar o trabalho, não para sermos servidos.

Mais uma vez, se queremos a paz devemos atuar sobre nosso modo de ser e não o do outro. Façamos nossa parte para promover a paz, não apenas por meio da crítica, e sim muito mais pelo esforço em agirmos de modo inteligente e lógico, portanto manso, caridoso, inclusivo e compreensivo.

> O homem superior atribui a culpa a si próprio;
> o homem comum, aos outros.
>
> CONFÚCIO

Paz no caos e caos na paz

A paz é um conceito objetivo ou subjetivo?

A paz, ou a ausência dela, se expressa no ambiente: não há paz na guerra, nos crimes, nos protestos violentos, na poluição sonora. Mas a paz se expressa em enorme medida internamente, na autoestima, no autoconhecimento e na plenitude.

A paz, de fato, se inicia em nosso íntimo. Se não tenho a paz em mim, comigo, entre mim e eu mesmo, então a paz, para mim, inexiste. Posso estar no local mais pacífico e bucólico do mundo que, se em meu íntimo estou em desarmonia, se minha mente está em conflito, se não tenho um mínimo de amor a mim mesmo, trago comigo a guerra para esse ambiente de paz.

O oposto também é verdadeiro. Há casos de pessoas que passaram por momentos extremos de violência, como, por exemplo, nos campos de concentração nazistas ou no recente conflito na Síria, e que conseguiram manter a paz, a sua paz, a paz interior. Com paz interior, mesmo nos ambientes mais hostis e conturbados conseguimos sustentar nosso equilíbrio. Criamos nosso céu ou nosso inferno.

Então, da próxima vez que perdermos a paciência por uma besteira, da próxima vez que perdermos a nossa paz e perturbarmos a paz alheia, lembremo-nos daqueles que de fato passaram por situações muito mais penosas e, porque quiseram, foram capazes de manter a sua paz.

> Se queremos ser salvos e fazer uma contribuição
> substancial ao progresso do mundo, essa contribuição
> tem que passar pelo caminho da paz.
>
> GANDHI

O perfume da paz

Em um trecho de um dos seus livros, Kardec fala do perfume da caridade, que se espalha em torno de quem é caridoso. Penso que o mesmo podemos dizer da paz. Quem preza e trabalha pela paz, a irradia. Imaginemos nós todos, cada um de nós, como se fôssemos antenas a irradiar paz. Como será a Terra quando isso finalmente acontecer?

Visualize uma pequena pedra caindo numa lagoa. A partir dela, círculos concêntricos vão se expandindo na superfície da água. Agora imaginemos a paz como as ondas na lagoa, também se expandindo a partir de nós, de nossos pequenos belos atos, a partir de nosso sorriso e de nossa voz mansa, de nosso olhar amoroso e de nossa boa vontade. A toda a nossa volta, paz.

Com nossa paz, abençoamos as pessoas que tomam contato conosco. Elas todas sentem a nossa paz, que passa a ser delas também. E seguem, assim, mais confiantes no ser humano, mais esperançosas, desejando o bem. Elas também passam a irradiar paz e a pacificar outros. Que tal? Várias antenas a irradiar a paz! O lago todo tomado por muitas ondas que mutuamente se abençoam e se acalmam e que se expandem mais e mais.

Queremos a paz? Construamos a paz.

A paz não pode ser mantida à força. Somente
pode ser atingida pelo entendimento.

ALBERT EINSTEIN

Propósito

Este livro tem a pretensão de dar uma visão de como o espiritismo entende a vida. É chegada a hora, então, de, nestas últimas páginas, explorarmos o tema do motivo da vida, o motivo para estarmos aqui, nosso real propósito.

Para que vivemos? Por que encarnamos? Por que encarnamos múltiplas vezes? Qual é ou deveria ser a principal motivação do nosso viver? Penso que podemos responder a essa pergunta com quatro verbos:

Vivemos para que possamos estudar.

Vivemos para que possamos aprender.

Vivemos para que possamos auxiliar.

Vivemos para que possamos melhorar.

Para aprender é preciso estudar. E estudar é observar, prestando atenção ao que vemos, ouvimos e vivenciamos e refletindo sobre tudo isso. Perguntando a si mesmo e aos outros o tempo todo o porquê das coisas. Já para nos melhorarmos, a chave é nos dedicarmos ao outro, ao seu auxílio. É a máxima espírita "Fora da caridade não há salvação". Quando nos dedicamos ao bem do outro, nos sentimos bem, porque nossos problemas ficam menos relevantes. O outro passa a existir, a ter peso, passa a ser o objeto de nossa atenção, cuidado e amor. Com isso, ficamos menos egoístas, menos sensíveis a besteiras. Tiramos de nossa cabeça pequenas minhocas que, por falta de coisa melhor em que nos concentrarmos, transformaríamos em enormes serpentes. Tudo ganha nova perspectiva e medimos as dores, nossas e alheias, com outra régua. Tudo passa a fazer mais sentido. A vida ganha sentido.

E trabalhar para o bem do outro não significa, necessariamente, fazer um trabalho heroico, enorme, sacrificado. É muito mais uma postura, um aumento na gentileza, na cortesia, na atenção e na paciência. E isso tudo dá para ser feito sem dinheiro, sem sair de casa ou do trabalho. Trabalhemos para o bem dos nossos familiares e colegas de trabalho, do taxista, do cobrador de ônibus, do outro passageiro no metrô, do verdureiro, do policial, da faxineira, do porteiro e do garçom – inclusive em pensamento.

Fomos criados por Deus como espíritos simples e ignorantes, nem bons nem maus. Conforme vamos caminhando nas diversas encarnações, vivenciamos todo tipo de experiência. Algumas duras, outras dulcíssimas. Aprendemos cometendo crimes e praticando o bem. Sofremos e nos corrigimos com o sofrimento. Aprendemos a nos relacionar em harmonia com os outros e aprendemos que os outros são todos: de qualquer classe social, nacionalidade, etnia, idade, orientação sexual, gosto, credo, opção política, nível cultural ou intelectual. Com o tempo, entendemos que esses outros com quem devemos nos relacionar em harmonia englobam tudo: a natureza, a sociedade, o planeta.

A vida nada mais é que uma tremenda escola. Uma escola de longo prazo, um internato, 24 horas, 365 dias e n encarnações. E é uma escola infinita, pois mesmo quando já não precisarmos mais encarnar (e mesmo entre encarnações) seguiremos vivendo e aprendendo. Sempre.

Se entendemos a vida como eterno aprendizado, como dedicação ao nosso aperfeiçoamento, visando a nos tornar pessoas melhores e voltadas ao bem, então tudo fica mais claro, mais coerente e, portanto, mais fácil!

Tudo se resume à prática do bem! Procuremos nos concentrar em sermos pessoas melhores a cada dia, cada hora, cada ação, cada fala, cada falha, cada pensamento, sempre.

Enquanto escrevo este livro, meu compromisso é tornar-me uma pessoa melhor não ao final do livro, mas ao final de cada raciocínio aqui expresso. E a cada trecho que redijo, repenso meus atos e percebo quão distante ainda estou do que sei ser o correto e quanto ainda preciso melhorar. Se por um lado isso me angustia, por outro mantém meu ego sob controle e faz eu me mexer para me aperfeiçoar. Isto é a vida na visão do espiritismo: melhorar o tempo todo, a todo instante, a cada ato, cada pensamento.

> A verdadeira tragédia da vida é quando
> homens têm medo da luz.
>
> PLATÃO

9 passos para o autoaperfeiçoamento

Se acharmos que devemos melhorar sempre, se acharmos mesmo que essa é a razão para estarmos aqui, encarnados, então deveremos buscar viver desse modo, em coerência com esse pensamento. E como é que se faz isso?

Pode-se dizer que é mais ou menos como começar a malhar na academia. Você está fora de forma, com dores e acima do peso. Faz tempo que está insatisfeito com essa condição. Até que um dia resolve mudar. É a milésima vez que resolve mudar, mas agora alguma coisa lhe diz que você terá sucesso – é a sua determinação. Você reconhece estar acima do peso, toma consciência da necessidade de se exercitar, decide mudar sua rotina e matricula-se numa academia. Começa a treinar e gosta. Começou assim das outras vezes, mas agora decide persistir.

Antes, você desanimou porque não viu resultados imediatos, mas agora está sabendo trabalhar melhor a paciência. A cada meio quilo a menos, a cada músculo mais definido, a cada fôlego recuperado, anima-se e recompensa-se emocionalmente com o progresso feito. Nesse clima de conquista, aumenta a distância da corrida, eleva o peso do exercício, a duração do treino; e segue. Passam-se meses e o treino já foi incorporado ao seu dia a dia. Já não é duro levantar cedo para treinar, porque você se sente bem. É parte da sua vida, como se alimentar e dormir.

Quem entendeu que a vida é melhorar continuamente deve agir como no treino da academia, pouco a pouco e com disciplina. Inspirados nessa analogia, os passos a seguir poderão servir como um guia:

1. Tomar consciência da necessidade de melhora
2. Ser honesto na autoavaliação
3. Ser corajoso
4. Iniciar a mudança
5. Ser persistente
6. Ser paciente
7. Animar-se com o próprio progresso
8. Aumentar a carga
9. Incorporar à rotina o exercício da melhora constante

Tomar consciência

Na correria da vida, tudo vai passando, e rápido. Parece que estamos sempre fazendo o que é urgente e ficamos sem tempo para o importante. Assim, não conseguimos agir com clareza. Ficamos apenas na reclamação, sem atentarmos para a raiz dos problemas, a solução definitiva. Acontece que a solução definitiva está em nós. A única saída para nossos problemas é mudarmos o modo como os encaramos: com serenidade, sabendo que são importantes para nós, que são temporários, que são parte da vida, que são parte de nossas lições na escola que é a vida. A solução é compreender o problema como um indicador de um comportamento que necessita de ajuste.

A partir do momento em que, de fato, tomamos consciência da necessidade de mudarmos nosso modo de agir e pensar, temos meio caminho andado, ou mais. Estaremos, aí sim, prontos para seguir adiante.

Ser honesto

Ser honesto parece simples, mas quantos de nós somos honestos com nós mesmos? Quantos de nós não ficamos nos enganando quando, por exemplo, justificamos uma reação intempestiva dizendo que na verdade apenas reagimos a uma fala agressiva do outro, porque, afinal, não temos sangue de barata?

É aquela fala de Jesus de que vemos o cisco no olho do outro, mas não vemos uma trave no nosso.

Sejamos honestos. Reconheçamos nossos erros. Reconheçamos que, como todos, somos imperfeitos e que, por isso, nossa melhor opção é seguirmos em busca de aperfeiçoamento. *Nosso* aperfeiçoamento, não o do outro. Essa honestidade de princípios e avaliação é fundamental para quem quer seguir melhorando. Sem ela não se sai do lugar, pois sempre encontraremos justificativas para qualquer ato nosso, qualquer barbaridade que pratiquemos. Não nos enganemos mais. Não é justo conosco.

Ser corajoso

Uma vez tomada a consciência de que devemos mudar e feita uma avaliação honesta de quais aspectos ainda precisamos mudar, é chegada a hora de agir. Essa decisão não é fácil, pois precisamos adotar um novo comportamento. Precisamos ter coragem para agir como achamos que é o certo, e não necessariamente como age o grupo no qual estamos inseridos.

Isso significa repensar valores e ações. É, por exemplo, não fofocar, não sair falando e concordando com versões maldosas, tidas como verdades absolutas e com as quais a maioria de nós concorda por preguiça ou receio de se contrapor aos demais. Conceitos como o de que todo padre é pedófilo, ou todo político é corrupto, ou ainda de que todo policial é também bandido. Nada disso é verdadeiro. Há gente boa e gente má, ou, melhor dizendo, espíritos mais evoluídos e mais atrasados, em toda parte. Mas, para sermos aceitos num determinado grupo, aceitamos e passamos adiante afirmações falsas. Ou, se não passamos adiante, nos calamos, o que é quase tão ruim quanto. Calamo-nos por conveniência, por medo, por preguiça e por covardia.

Quem decide mudar tem compromisso com a mudança. E, por vezes, essa mudança requer atitudes mais firmes, posicionamento. Pode não ser fácil, mas é sempre muito gratificante quando, com muito tato e respeito, nos posicionamos adequadamente em situações em que falta a verdade. Experimentemos.

Um exemplo enorme de coragem nos dá o papa Francisco. Com pouquíssimo tempo no cargo, ele teve coragem de falar contra o pensamento que imperava no Vaticano. Posicionou-se contra o preconceito contra os homossexuais, afirmou que mãe é quem tem filho e não apenas quem é casada, condenou a ostentação da riqueza na Igreja, além de se reconhecer como alguém comum e pedir que rezemos por ele. E, veja que bonito, tudo feito de modo bastante firme, mas com extrema candura, leveza, simpatia, alegria, tranquilidade e respeito. Isso é ter sábia coragem!

Iniciar a mudança

Quando estamos há vários anos sem praticar exercícios, não começamos erguendo 400 quilos e correndo uma maratona. Começamos devagar. Um alongamento, um exercício leve, depois de um tempo um exercício um pouco mais forte e assim vamos, até que estejamos prontos para um triátlon. Quando decidimos mudar nossos hábitos é a mesma coisa.

Comecemos devagar, com calma. Escolhamos um hábito a mudar. Foquemos nele, apenas nele. Se somos muito nervosos, exercitemos a calma. Se somos arrogantes, exercitemos a modéstia. Arredios, exercitemos a convivência e o acolhimento. Se somos sovinas, exercitemos a generosidade. Um aspecto por vez.

Existem, porém, atitudes mais simples e gerais que podemos incluir em nosso dia a dia de imediato. Podemos, por exemplo, nos comprometer com a gentileza, cumprimentando as pessoas, pedindo licença e perdão, agradecendo e sorrindo mais. Podemos nos esforçar por falar menos e ouvir mais. Podemos travar nosso ímpeto de passar adiante uma fofoca. Melhor ainda, podemos nos propor a fugir das fofocas, não dar ouvido a elas.

Podemos nos comprometer com a organização de nosso espaço em casa e no trabalho, promovendo a higiene, a beleza, a organização e a harmonia no ambiente em que vivemos. Podemos tentar confiar mais nas pessoas, de modo que, quando começarmos uma conversa, partamos do princípio de que aquela pessoa é boa e não deseja o nosso mal. Podemos nos propor a deixar de mentir, incluindo aquela mentirinha boba, que parece inócua e parte do jogo do dia a dia.

Podemos nos propor a sermos mais carinhosos com nossos familiares, abraçá-los e beijá-los mais, fazer um cafuné, uma pequena massagem nos ombros. Podemos nos propor a lavar a louça todos os dias ou a fazer pequenos outros serviços do cotidiano de nossa casa, buscando assim aliviar a carga de trabalho de familiares.

Escolhamos um aspecto e iniciemos nossa mudança por ele. São pequenos gestos que nada custam além de nossa atenção, vontade e ação. E que nos trazem felicidade duradoura na sensação prazerosa de que estamos promovendo o bem, além da satisfação de sabermos que estamos, em nosso íntimo, evoluindo e nos tornando pessoas melhores.

Ser persistente

Assim como na busca por um corpo em forma, mudar leva algum tempo. Na academia, precisamos machucar os músculos para que eles inchem, cresçam, ganhem massa. Com o tempo o exercício já não os machuca mais, o esforço já não dói mais. E o músculo agora permite ao corpo fazer movimentos que antes não aguentava. O mesmo acontece com a mudança de hábitos.

Por anos, talvez por séculos ou milênios, agimos de um modo. Reagimos como que por instinto. E agora queremos mudar esse nosso comportamento, pensando antes de agir. Isso requer algum treino, repetição. Toma tempo. Exige persistência.

Insista, mesmo que venha a dor de mudar. Entenda-a como a dor de quem se exercitou. Uma dor boa, que sinaliza uma nova situação, um novo posicionamento, o desenvolvimento de uma nova habilidade, de uma nova e melhor personalidade.

Ser paciente

Se precisamos de persistência para seguir com nossa reforma íntima, com nossa melhora, precisamos igualmente de paciência. É como quando aprendemos a andar de bicicleta: demora um pouco para aprendermos algo novo. E, por vezes, a despeito de todo o nosso empenho, não conseguimos numa primeira tentativa.

Como ao andar de bicicleta, talvez precisemos de alguém que nos ajude com o equilíbrio até que peguemos o jeito e tenhamos confiança em nós mesmos. E mesmo depois, quando já somos capazes de andar sozinhos, pode acontecer de nos desequilibrarmos e cairmos. Cair e falhar machuca e frustra, mas, se tivermos paciência e persistência, nos levantaremos. E tentaremos novamente. E novamente e novamente. Até que consigamos seguir adiante, firmes.

Com o tempo, como no andar de bicicleta, o andar no bem e o fazer o bem estará automatizado. Estará incorporado e fará parte de nosso modo de ser. Persistamos e tenhamos paciência.

Animar-se com o progresso

Parte importantíssima em qualquer exercício visando à mudança é o incentivo que nos damos para prosseguir adiante. Nesse caso do autoaperfeiçoamento, esse incentivo é fácil. É um prazer e uma alegria verificar que já não erramos mais no que errávamos no passado. Sentir que dominamos um comportamento que nos fazia mal nos dá uma agradabilíssima sensação de progresso e de conquista. Faz com que nos sintamos donos de nosso destino. Percebemos que com calma, lentamente, conseguimos dirigir nossa vida, e isso não é pouco.

Prestemos atenção em nossos progressos. Animemo-nos com eles. Congratulemo-nos por haver conseguido o que queríamos e por haver, com a ajuda de nosso maior aliado (nós mesmos), dominado nosso maior adversário (nós mesmos). Alegremo-nos com cada passo dado, nem que seja um passo relativamente pequeno. Parabenizemo-nos por estarmos finalmente sendo senhores de nós mesmos.

Aumentar a carga

Como num treino na academia, com o passar do tempo, conforme nos fortalecemos, talvez queiramos aumentar o desafio, elevar a carga. Já dominamos e modificamos algum hábito que julgávamos fazer mal a nós e a outros? Ótimo! Agora aumentemos a carga. Mudemos para outro desafio. Busquemos outra coisa para melhorar em nós.

A lista de melhorias a perseguir seguramente não se esgotará em 10 itens, talvez nem em 10 anos, provavelmente nem mesmo em 10 encarnações. E, se achamos que já nada mais há a corrigir em nós, aí está uma coisa que deve ser corrigida agora mesmo.

Incorporar à rotina

Uma vez que tomamos gosto pela rotina do autoaperfeiçoamento, a coisa está feita. Entramos numa rota segura e interessante, ilimitada e infinita. Seguiremos nos modificando, nos aprimorando. Fará parte de nossa vida, de nossa rotina, de nosso modo de ser. Naturalmente.

Os problemas não vão deixar de existir, até porque eles são as nossas aulas – são eles que nos educam, que exigem de nós raciocínio, ponderação e ação. Mas passaremos a lidar muito melhor com as dificuldades de nosso caminho. Saberemos encarar os desafios de forma equilibrada e positiva, pois compreenderemos melhor tudo à nossa volta. E a vida ficará mais leve, pois fomos largando os pesos pelo caminho.

> Tentar não significa conseguir, mas quem
> conseguiu certamente tentou.
>
> **ARISTÓTELES**

Conclusão

O autor de um livro recebe de seu leitor preciosidades como a disposição, a atenção, o respeito e o tempo. Eventualmente, de alguns, recebe até a admiração. O leitor, com sua leitura, homenageia o autor.

Mas e você? Recebe dos que o cercam disposição, atenção, respeito e tempo? É admirado por alguém?

Invertamos a pergunta: você, que leu este livro, sinceramente, ofertou aos que o cercam ou ao menos aos seus familiares sua disposição, sua atenção, seu respeito, seu tempo e sua admiração? De verdade? Para todos eles?

A vida na visão do espiritismo não foi escrito para apenas trazer conceitos bonitos com os quais todos concordamos. Ele tem que ser a água fria a nos tirar da sonolência.

Este é um livro para nos instigar e instrumentalizar na prática do bem. O que aqui se leu é para ser colocado em prática. Agora. Deve servir para que já – e não daqui a pouco – atuemos no bem e na nossa melhora.

Então ajamos. Abençoemos a todo momento, todos à nossa volta, por meio de nossas atitudes, palavras, olhares, sorrisos e pensamentos. Busquemos e distribuamos a paz e o bem. Sejamos emissários de Deus na Terra!

Vivamos a vida na visão do espiritismo!

Agradecimentos

Agradeço a Allan Kardec, pelo trabalho espetacular na organização da filosofia espírita. À espiritualidade, que claramente me inspirou em vários momentos no livro. A Jesus, pela inteligência e sensibilidade que nos legou tão bons ensinamentos. A Deus, só por tudo.

Muito obrigado aos vários leitores de *A morte na visão do espiritismo*, que me instigaram a seguir escrevendo. Adorei. Instiguem mais e sempre, por favor. E aos queridos amigos megaprofissionais da Editora Sextante, que desde o primeiro momento se interessaram por este livro e tiveram papel importantíssimo em sua elaboração.

Agradeço ainda às minhas três irmãs, que leram o livro quando ainda estava em sua fase inicial e não se furtaram ao papel de irmãs queridas, dando pitacos carinhosos nos trechos em que era adequado. Ao meu irmão e sua família estendida, que me deram o lindo exemplo que cito no trecho sobre divórcio. À minha esposa e ao meu filho, que, gentis, me aguentaram falando do livro por cerca de três longos anos. E à minha mãe, que, mesmo não sendo espírita, desde sempre me inspirou no rumo da espiritualidade.

Referências bibliográficas

Kardec, Allan. *O livro dos espíritos*. São Paulo: Lake, 1997.

Kardec, Allan. *O Evangelho segundo o espiritismo*. São Paulo: Editora FEESP, 1994.

Trigueiro, André. *Viver é a melhor opção*. São Bernardo do Campo: Correio Fraterno, 2015.

Arribas, Célia da Graça. *Afinal, espiritismo é religião?* São Paulo: Alameda, 2010.

Aronson, Elliot. *O animal social*. Lisboa: Instituto Piaget, 2010.

Maia, João Nunes; pelo espírito Miramez. *Horizontes da fala*. Belo Horizonte: Fonte Viva, 1991.

The Arbinger Institute. *Leadership and Self-Deception*. Oakland (EUA): Berrett-Koehler Publishers, 2000.

Jonathan Safran Foer. *Comer animais*. Rio de Janeiro: Rocco, 2010.

Sêneca (Lúcio Aneu). *Cartas consolatórias*. Campinas: Pontes, 1992.

Se você gostou deste livro,
doe-o para que outras pessoas
possam se beneficiar da leitura.

Se não gostou, para que guardá-lo?
Alexandre Caldini